Toda
Poesia

Toda Poesia

Paulo Leminski

Companhia Das Letras

Grafia atualizada segundo o Acordo Ortográfico da Língua Portuguesa de 1990, que entrou em vigor no Brasil em 2009.

Arte dos poemas em *Sol-te*, seção de *Caprichos & relaxos*, retamozo, mirandinha, solda, swain, bellenda, fui vai, tiko.

Capa e projeto gráfico
Elisa von Randow

Preparação
Jacob Lebensztayn

Revisão
Huendel Viana
Luciane Helena Gomide

Dados Internacionais de Catalogação na Publicação (CIP)
(Câmara Brasileira do Livro, SP, Brasil)

Leminski, Paulo, 1944-1989.
Toda poesia / Paulo Leminski. — 1ª ed. — São Paulo : Companhia das Letras, 2013.

ISBN 978-85-359-2223-3

1. Poesia brasileira I. Título.

12-15665 CDD-869.91

Índice para catálogo sistemático:
1. Poesia : Literatura brasileira 869.91

36ª reimpressão

EDITORA SCHWARCZ S.A.
Rua Bandeira Paulista, 702, cj. 32
04532-002 — São Paulo — SP
Telefone: (11) 3707 3500
www.companhiadasletras.com.br
www.blogdacompanhia.com.br
facebook.com/companhiadasletras
instagram.com/companhiadasletras
twitter.com/cialetras

sumário

apresentação

Alice Ruiz S

Este livro é antes de tudo uma vida inteira de poesia. Uma vida totalmente dedicada ao fazer poético. Curta, é verdade, mas intensa, profícua e original.

A análise crítica, melhor deixá-la aos especialistas; aqui, me compete lembrar a história/vida dos livros que enfim compõem este livro único.

Um dos primeiros poemas do Paulo, talvez mesmo o primeiro, foi escrito em latim, na segunda infância, nos tempos em que ele estudou no Internato Paranaense. A convivência precoce com o clero lhe deu ímpetos de clausura, mais pelo facilitado recolhimento que é tão propício ao estudo dos movimentos da alma e das riquezas da palavra do que propriamente pela fé religiosa. Não que ela não estivesse presente, mas havia também uma energia viril, aquela que nos faz querer conquistar o mundo e absorver o que ele tem para ensinar. Assim, a clausura durou pouco, como qualquer arroubo da adolescência, mas foi suficiente para deixar raízes, pois o amor pelo conhecimento, uma vez despertado, não se apaga facilmente.

A primeira vez que vi o Paulo foi na entrega dos prêmios de um concurso de poesia em Curitiba. Todos os poemas premiados eram lidos por seus autores e o dele foi o único que me disse algo de inovador e contundente. Uma dicção tão original deve ter ultrapassado a capacidade de apreciação do júri, na época, mas aquele poema de construção impecável não poderia passar em branco. Assim, aquele que merecia o primeiro lugar levou apenas uma menção honrosa. O tempo haveria de corrigir esse equívoco, já que os primeiros lugares daquele concurso não estão em nenhum lugar especial hoje, bem diferente dele.

Quatro anos depois, fui levada por amigas ao seu aniversário de 24 anos.

Nosso primeiro assunto foi poesia. O último também.

Passamos a maior parte da festa em seu escritório e quase fui soterrada por uma profusão de palavras, ideias e projetos (o *Catatau*, por exemplo, tinha apenas oito páginas e ainda se chamava *Descartes com lentes*). Falamos de autores que nós dois já admirávamos, e ele me apresentou os "haikaistas" e os poetas concretos, que eu desconhecia. Enquanto isso, eu, recém-chegada do Rio de Janeiro, onde vivera por dois anos, lhe apresentei o que a música popular brasileira estava produzindo de mais novo (em todos os sentidos), particularmente o Tropicalismo, que ainda não o tinha tocado.

Assim como o amor, a poesia e a música foram crescendo em nossa vida em comum.

Em 1976, quando o fotógrafo Jack Pires chegou com a proposta de fazer um livro em conjunto com Paulo, espalhamos as fotos dele pelo chão e fomos procurando, entre os poemas curtos, quais conversavam ou rimavam com aquelas imagens. Foi assim que nasceu a primeira publicação de uma pequena parte de sua poesia, o *Quarenta clics*, editado em Curitiba.

Em 1980 foi a vez de *Não fosse isso e era menos não fosse*

tanto e era quase, uma edição primorosa, iniciativa e presente dos amigos Dico Kremer, Márcio Santos e Nego Miranda, donos do estúdio fotográfico ZAP, que fizeram um trabalho fotográfico de ampliação da tipologia de sua Remington anos 40. A impressão foi obtida por meio de uma troca de serviços com gráficas parceiras.

A ideia de permuta, Paulo a absorveu e utilizou para fazer, no mesmo ano, seu terceiro livro "independente" de poemas: *Polonaises*. Uma homenagem às suas raízes, na tipologia do Solidarność (Solidariedade), movimento revolucionário/operário liderado por Lech Valesa, que estava acontecendo na Polônia naquela época.

Um dos problemas das edições independentes era decidir o que fazer com as tiragens inteiras, que ficavam com os autores. Em 1983, com a casa tomada por mais de mil exemplares de cada um desses três livros, mais a edição do *Catatau* (também independente), mais as edições de dois livros meus, e restritos ao mercado curitibano — não vendíamos, presenteávamos amigos —, soubemos que a editora Brasiliense tinha também uma livraria em São Paulo, onde era possível colocar à venda alguns livros feitos "fora do eixo".

Enviamos um exemplar de cada livro para Luiz Schwarcz, na época braço direito do Caio Graco Prado e responsável por inovadoras coleções como Encanto Radical e Primeiros Passos, entre outras. Luiz nos ligou, agradecendo e perguntando se tínhamos inéditos, pois um material novo daria mais vida à reunião dos já existentes. Assim nasceu a primeira edição nacional de cada um.

Caprichos & relaxos foi o nome que o Paulo encontrou para reunir esses primeiros poemas, em que está presente um viés lúdico, mas sem abrir mão do rigor. Um nome denúncia e receita, ao mesmo tempo. O livro saiu em 1983.

Em seguida veio *Distraídos venceremos*, em 1987. O nome remete, de certa forma, ao livro anterior, aparentemente com uma pitada de esperança, embora o teor dos poemas aponte para um maior ceticismo.

Paulo começou a selecionar a produção seguinte baseado em um novo critério, ou melhor, destacando um estilo novo que começava a se esboçar. O que ele chamava de "parnasiano chique" iria para o *La vie en close* e os demais, meio sem um lugar definido ainda, foram para uma pasta que ele batizou de *Ex-estranho*, um livro que seria pensado mais tarde. Mas não havia mais tarde, e isso já estava anunciado nos títulos escolhidos por ele. O "estranho", que é como o poeta se sente dentro do mundo prático, em breve será "ex". E a vida que se fecha/encerra parece enfim entrar em foco, destacar apenas o que é essencial: La vie en close.

Terminada a seleção, que acompanhei de perto, ele me pediu para cuidar dos seus inéditos, e me encarregou de encaminhá-los para o Caio e/ou ao Luiz, caso o Paulo não tivesse tempo suficiente. Caio editou *La vie en close*. Samuel Leon, da editora Iluminuras, além das prosas, editou *O ex-estranho* e *Winterverno*, livro com poemas curtos do Paulo e imagens de João Virmond Suplicy Neto. E agora toda a poesia volta às mãos do Luiz Schwarcz, através da Companhia das Letras.

Esses livros são diferentes entre si, mas têm a mesma marca de sua escrita poética. Raízes na poesia concreta e na síntese, na experimentação e no coloquial. O mesmo compromisso com duas coisas aparentemente excludentes: a inovação e o afã de comunicar, de dizer. Um dizer repleto da consciência da necessidade do silêncio. Talvez por essas e outras razões sua poesia continue tão atual e ainda converse com o futuro.

E agora, enfim reunida, pode oferecer uma visão total do que foi a poesia para Leminski e do que é Leminski para a poesia.*

* Aqui, a totalidade dos versos já publicados em livro. (N. E.)

quarenta clics em curitiba

[1976]

nota do editor

Publicado em 1976 pela editora Etecetera em forma de portfólio, *Quarenta clics em Curitiba* combinava fotos de Jack Pires e poemas de Paulo Leminski. Conforme diz Leminski na introdução da obra, "Nenhum texto foi escrito para uma foto. Foi buscada a relação/contradição texto/foto. Os poemas estavam prontos já". Dado que os poemas são anteriores às fotos, optamos por reproduzir aqui apenas os textos, sem as imagens.

Alguns poemas de *Quarenta clics* constam de *Caprichos & relaxos* e *La vie en close*, com pequenas modificações. Nesses casos, optamos por mantê-los apenas nos livros posteriores, mais representativos da obra de Leminski, em sua versão definitiva.

Compra a briga das coisas
Gigante em vão
Contra a parede branca
Prega a palma da mão

Uma vida é curta
para mais de um sonho

Será preciso
explicar o sorriso
da Mona Lisa
para que você
acredite em mim
quando digo
que o tempo passa?

o critério
“atitudes estranhas”
não dá
para condenar pessoas
criaturas
com entranhas

Quem me dera
um mapa de tesouro
que me leve a um velho baú
cheio de mapas do tesouro

Fechamos o corpo
como quem fecha um livro
por já sabê-lo de cor.

Fechando o corpo
como quem fecha um livro
em língua desconhecida
e desconhecido o corpo
desconhecemos tudo.

Só mesmo um velho
para descobrir,
detrás de uma pedra,
toda a primavera.

O tempo todo caminha.
Se para,
acompanha-se
de uma só linha
era uma vez
era uma vez
era uma vez

Domingo
Canto dos passarinhos
Doce que dá para pôr no café

Gente que mantém
pássaros na gaiola
tem bom coração.
Os pássaros estão a salvo
de qualquer salvação.

Ruas cheias de gente.
Seis horas.
Comida quente.
Caçarolas.

Hesitei horas
antes de matar o bicho.
Afinal,
era um bicho como eu,
com direitos,
com deveres.
E, sobretudo,
incapaz de matar um bicho,
como eu.

•

Pense depressa.
O que veio?
Quem vem?
Bonito ou feio?
Ninguém.

•

os dentes afiados da vida
preferem a carne
na mais tenra infância
quando
as mordidas doem mais
e deixam cicatrizes indeléveis
quando
o sabor da carne
ainda não foi estragado
pela salmoura do dia a dia

é quando
ainda se chora
é quando
ainda se revolta
é quando
ainda

corpo entortado
contra o frio
saco às costas — vazio
está roubando o vento?

Amigo
Inimigo
Nada tive com o mar
Nem ele comigo
Fui homem de seco
Hoje posto a secar
Neste beco

O olho da rua vê
o que não vê o seu.
Você, vendo os outros,
pensa que sou eu?
Ou tudo que teu olho vê
você pensa que é você?

Frutas que só ficam
Maduras depois de colhidas
Minhas velhas conhecidas

Já não chove
Pessoas molham passos
As ruas pesadas

isso?
aqui?
já?
assim?

Amando,
aumenta
até duas mil vezes
o tamanho.

Depois de hoje
a vida não vai mais ser a mesma
a menos que eu insista em me enganar
aliás
depois de ontem
também foi assim
anteontem
antes
amanhã

isso aqui
acaso
é lugar
para jogar sombras?

quem é vivo
aparece sempre
no momento errado
para dizer presente
onde não foi chamado

o silêncio
se mete a maltratar
me ditando
abreviaturas de mim
e,
quem sabe,
a mim mesmo me dilatando

tem quem se proteja
por trás
de uma barragem
de bons dias
boas tardes
boas noites
assim não tendo
que ver o que está passando

Como é que a noite vira dia?
O dia vira noite?
Só vendo.
Tudo que sabemos.

o tempo
entre o sopro
e o apagar da vela

Achar
a porta que esqueceram de fechar.
O beco com saída.
A porta sem chave.
A vida.

O tempo fica
cada vez
mais lento
e eu
lendo
lendo
lendo
vou acabar
virando lenda

Ainda vão me matar numa rua.
Quando descobrirem,
principalmente,
que faço parte dessa gente
que pensa que a rua
é a parte principal da cidade.

de repente descobri
não digo américa nem pólvora
obra de tantos
conta perdida
ficar na ponta dos pés
além de nobre exercício
a mais sábia medida
para subir na vida

este dia
este perverso dia
que veio depois de ontem

caprichos & relaxos

[1983]

nota do editor

Caprichos & relaxos, lançado em 1983 pela editora Brasiliense, reúne quase toda a poesia escrita por Leminski até aquela data. Duas das sete seções do volume já haviam sido publicadas como livros: *Polonaises* (1980), produção independente, e *Não fosse isso e era menos não fosse tanto e era quase* (1980), edição oferecida a Leminski como presente pelos amigos do estúdio ZAP de fotografia.

Os poemas da seção "Invenções" também já haviam saído nos volumes 4 (dezembro de 1964) e 5 (dezembro de 1966) de *Invenção: Revista de Arte e Vanguarda*, iniciativa do grupo concretista que logo adotou Leminski: Augusto e Haroldo de Campos e Décio Pignatari. No apêndice deste volume, reproduzimos a apresentação de Haroldo de Campos e o texto de quarta capa de Caetano Veloso, que integram a primeira edição de *Caprichos & relaxos*.

Aqui, poemas para lerem, em silêncio,
o olho, o coração e a inteligência.
Poemas para dizer, em voz alta.
Poemas, letras, lyrics, para cantar.
Quais, quais, é com você, parceiro.

caprichos & relaxos

(saques, piques, toques & baques)

de como
o polaco jan korneziowsky
botou a persona/fantasia
de joseph conrad
e virou lord jim/childe harold

um dia desses quero ser
um grande poeta inglês
do século passado
dizer
ó céu ó mar ó clã ó destino
lutar na índia em 1866
e sumir num naufrágio clandestino

contranarciso

em mim
eu vejo o outro
e outro
e outro
enfim dezenas
trens passando
vagões cheios de gente
centenas

o outro
que há em mim
é você
você
e você

assim como
eu estou em você
eu estou nele
em nós
e só quando
estamos em nós
estamos em paz
mesmo que estejamos a sós

o p que
no pequeno &
se esconde
eu sei por q

só não sei
onde nem e

sobre a mesa vazia
abro a toalha limpa
a mente tranquila
palavra mais linda

aqui se acaba
a noite mais braba
a que não queria
virar puro dia

somos um outro
um deus, enfim,
está conosco

cesta feira

oxalá estejam limpas
as roupas brancas de sexta
as roupas brancas da cesta

oxalá teu dia de festa
cesta cheia
                    feito uma lua
toda feita de lua cheia

no branco
                    lindo
teu amor
                  teu ódio
                                  tremeluzindo
                                                    se manifesta

tua pompa
tanta festa
tanta roupa
                      na cesta
                                      cheia
                                              de sexta

oxalá estejam limpas
as roupas brancas de sexta
oxalá teu dia de festa

mesmo
na idade
de virar
eu mesmo

ainda
confundo
felicidade
com este
nervosismo

•

eu
quando olho nos olhos
sei quando uma pessoa
está por dentro
ou está por fora

quem está por fora
não segura
um olhar que demora

de dentro do meu centro
este poema me olha

•

desmontando o frevo

desmontando
o brinquedo
eu descobri
que o frevo
tem muito a ver
com certo
jeito mestiço de ser
um jeito misto
de querer
isto e aquilo
sem nunca estar tranquilo
com aquilo
nem com isto

de ser meio
e meio ser
sem deixar
de ser inteiro
e nem por isso
desistir
de ser completo
mistério

eu quero
ser o janeiro
a chegar
em fevereiro
fazendo o frevo
que eu quero
chegar na frente
em primeiro

aves
        de ramo
                        em ramo

meu pensamento
                                 de rima
                                                em rima
                                                                erra

até uma
                que diz
                               te amo

das coisas
que eu fiz a metro
todos saberão
quantos quilômetros
são

aquelas
em centímetros
sentimentos mínimos
ímpetos infinitos
não?

girafas

africanas

como meus avós

quem me dera

ver o mundo

tão do alto

quanto vós

Quem nasce com coração?
Coração tem que ser feito.
Já tenho uma porção
Me infernando o peito.

Com isso ninguém nasça.
Coração é coisa rara,
Coisa que a gente acha
E é melhor encher a cara.

não sou o silêncio
que quer dizer palavras
ou bater palmas
pras performances do acaso

sou um rio de palavras
peço um minuto de silêncios
pausas valsas calmas penadas
e um pouco de esquecimento

apenas um e eu posso deixar o espaço
e estrelar este teatro
que se chama tempo

•

minha mãe dizia

— ferve, água!
— frita, ovo!
— pinga, pia!

e tudo obedecia

•

ali
só
ali
se

se alice
ali se visse
quanto alice viu
e não disse

se ali
ali se dissesse
quanta palavra
veio e não desce

ali
bem ali
dentro da alice
só alice
com alice
ali se parece

nada tão comum
que não possa chamá-lo
meu

nada tão meu
que não possa dizê-lo
nosso

nada tão mole
que não possa dizê-lo
osso

nada tão duro
que não possa dizer
posso

parar de escrever
bilhetes de felicitações
como se eu fosse camões
e as ilíadas dos meus dias
fossem lusíadas,
rosas, vieiras, sermões

Bom dia, poetas velhos.
Me deixem na boca
o gosto de versos
mais fortes que não farei.

Dia vai vir que os saiba
tão bem que vos cite
como quem tê-los
um tanto feito também,
acredite.

•

enxuga aí

vê se enxerga

essa lágrima
eu deixei cair

examina

examina bem

vê se não é
água da pedra
ouro da mina
essa gotadágua

minha
obra-prima

•

o soneto a crônica o acróstico
o medo do esquecimento
o vício de achar tudo ótimo
e esses dias
longos dias feito anos
sim pratico todos
os gêneros provincianos

dia
ao primo pássaro

foi você
que piou pintou
ontem
pouco antes
do sol nascer?

ou foi
talvez
um irmão tia irmã
uma voz
já
tão
longe
que hoje
até parece amanhã?

Minha cabeça cortada
Joguei na tua janela
Noite de lua
Janela aberta

Bate na parede
Perdendo dentes
Cai na cama
Pesada de pensamentos

Talvez te assustes
Talvez a contemples
Contra a lua
Buscando a cor de meus olhos

Talvez a uses
Como despertador
Sobre o criado-mudo

Não quero assustar-te
Peço apenas um tratamento condigno
Para essa cabeça súbita
De minha parte

a árvore é um poema
não está ali
para que valha a pena

está lá
ao vento porque trema
ao sol porque crema
à lua porque diadema

está apenas

. .:

que me importa
meio-dia e doze
o tempo que toque
nesses relógios

matéria de tictac
pra mim agora
é quinze pras quatro
ou duas e vinte e um

dezenove e dezoito
não
que onze e trinta
só meu coração

. .

nada que o sol
não explique

tudo que a lua
mais chique

não tem chuva
que desbote essa flor

•

a perda do olfato
eu não lamento
afinal o olfato
só serve pra cheirar
os quatro elementos
vamos ao fato

o paladar eu perdi
mas não porque o perdesse
tirei da cabeça
o gosto do abacaxi

do ouvido não olvido
pois tendo desenvolvido
a guerra dos sentidos
me voltei pro silêncio
o som não faz sentido

uma consequência
toma conta de mim
como se fosse um barato

•

existe um planeta
perdido numa dobra
do sistema solar

aí é fácil confundir
sorrir com chorar

difícil é distinguir
esse planeta de sonhar

•..

objeto
do meu mais desesperado desejo
não seja aquilo
por quem ardo e não vejo

seja a estrela que me beija
oriente que me reja
azul amor beleza

faça qualquer coisa
mas pelo amor de deus
ou de nós dois
seja

• •

não creio
que fosse maior
a dor de dante
que a dor
que este dente
de agora em diante
sente

não creio
que joyce
visse mais numa palavra
mais do que fosse
que nesta pasárgada
ora foi-se

tampouco creio
que mallarmé
visse mais
que esse olho
nesse espelho
agora
nunca
me vê

A vagina vazia
imagina
que a página (sem vaselina)
a si mesma se preenche
e se plagia

Essa língua que sempre falo
(e falo sempre)
e distraído escrevo
embora não tão frequentemente
massa falida
desmorona no papel
                                                            quando babo
e acabada em texto
eu acabo

business man
make as many business
as you can
you will never know
who i am

your mother
says no
your father
says never

you'll never know
how the strawberry fields
it will be forever

lendas vindas
das terras lindas
de orientes findos

me façam feliz
feito esta vida não faz

uma carta   uma brasa   através
por dentro   do texto
nuvem cheia da minha chuva
cruza o deserto por mim
a montanha caminha
o mar entre os dois
uma sílaba   um soluço
um sim   um não   um ai
sinais dizendo nós
quando   não   estamos   mais

quatro dias sem te ver
e não mudaste nada

falta açúcar na limonada

me perdi da minha namorada

nadei nadei e não dei em nada

sempre o mesmo poeta de bosta
perdendo tempo com a humanidade

. . .

minha amiga
indecisa
lida com coisas
semifusas

quando confusas
mesmo as exatas
medusas
se transmudam
em musas

. . .

sabendo
que assim dizendo
— poema —
estava te matando
mesmo assim
te disse

sabendo
que assim fazendo
você estava durando
foi duro
mesmo assim
te trouxe

mesmo assim
te fiz
mesmo sabendo que ias
fugaz
ser infeliz
sempre infeliz

mesmo assim
te quis
mesmo sabendo
que ia te querer
ficar querendo
e pedir bis

entre a dívida externa
e a dúvida interna
meu coração
comercial
alterna

pompa há tanto conquista
cautela tão mal calculada
pausa na pauta
quem sabe em pio pousada
me passa este meio-dia
atravessa este meio-fio
aplaca em luz
a causa desta madrugada

atiça-me a calma
em cólera e guerra floresça
toda esta falta   minha alma
tanta valsa chama saudade
tanto A   tanto B   tanto Z

tanto mim me pareça você

não possa tanta distância
deixar entre nós
este sol
que se põe
entre uma onda
e outra onda
no oceano dos lençóis

sexta-feira
cinza

quantas vezes
vais ser treze?

quantas horas
têm teus meses?

quantas quintas
vão ser trinta?

quantas segundas
nem são nunca?

quantas quartas
infinitas?

você me alice
eu todo me aliciasse
asas
        todas se alassem
sobre águas cor de alface
ali
    sim
        eu me aliviasse

•

quando eu tiver setenta anos
então vai acabar esta adolescência

vou largar da vida louca
e terminar minha livre-docência

vou fazer o que meu pai quer
começar a vida com passo perfeito

vou fazer o que minha mãe deseja
aproveitar as oportunidades
de virar um pilar da sociedade
e terminar meu curso de direito

então ver tudo em sã consciência
quando acabar esta adolescência

•

esta ilusão
não desapareça

você deixa
que isso aconteça
ilusão
igual a essa

eu despeço
você
da minha peça

o novo
não me choca mais
nada de novo
sob o sol

apenas o mesmo
ovo de sempre
choca o mesmo novo

pétala
não caia esse orvalho

olho
não perca essa lágrima

auras que já se foram
grato pela graça
a graça que eu acho
em tudo que fica
por tudo que passa

•

ele era
apenas um L
e ela ah
ela estava lá
à flor da pele
como quem apenas
H

amar um A
como um L
quem amará?

• •

Desculpe, cadeira,
está pisando no meu pé.
Desse jeito, mais parece
esta mesa: nada mais faz
que cansar minha beleza.

Vocês vão ver uma coisa.
Nem porque é de ferro
pode moer meu dedo
este prego, o martelo.

Vocês não têm cabeça.
Não passam de objeto.
Vocês nunca vão saber
quanto dói uma saudade
quando perto vira longe
quanto longe fica perto.

Desculpe, cadeira,
está pisando no meu pé.
Desse jeito, mais parece
esta mesa: nada mais faz
que cansar minha beleza.

Quanto ao resto — até.

elas quando vêm
elas quando vão
versos que nem
versos que não
nem quero fazer
se fazem por si
como se em vão

elas quando vão
elas quando vêm
poesia que sim
parece que nem

minhas 7 quedas

minha primeira queda
não abriu o paraquedas

daí passei feito uma pedra
pra minha segunda queda

da segunda à terceira queda
foi um pulo que é uma seda

nisso uma quinta queda
pega a quarta e arremeda

na sexta continuei caindo
agora com licença
mais um abismo vem vindo

quem me dera um abutre
pra devorar meu coração!
naco de carne crua
comida de pé no balcão!

quem me dera um apache
pra colher meu escalpo!
que desta vez não escape
nenhum disfarce!

tomara que um furacão
caia sobre meu navio!
que nenhum deus nem dragão
possa ser meu alívio!

em matéria
de tino
            menino
eu tenho dez

quiser
tenho até
um destino
                a meus pés

as flores
são mesmo
umas ingratas

a gente as colhe
depois elas morrem
sem mais nem menos
como se entre nós
nunca tivesse
havido vênus

    a história faz sentido
isso li num livro antigo
    que de tão ambíguo
faz tempo se foi na mão dalgum amigo

    logo chegamos à conclusão
tudo não passou de um somenos
    e voltaremos
à costumeira confusão

polonaises

Polaly sie lzy me czyste, rzesiste,
Na me dzienciństwo sielskie, anielskie,
Na moja mlodość górna i durna,
Na mój wiek meski, wiek kleski.
Polaly sie lzy me czyste, rzesiste…

(*1839*)

Choveram-me lágrimas limpas, ininterruptas,
Na minha infância campestre, celeste,
Na mocidade de alturas e loucuras,
Na minha idade adulta, idade de desdita;
Choveram-me lágrimas limpas, ininterruptas…

(*1979*)

adam mickiewicz
trad do polonês:
p leminski

o velho leon e natália em coyoacán

desta vez não vai ter neve como em petrogrado aquele dia
o céu vai estar limpo e o sol brilhando
você dormindo e eu sonhando

nem casacos nem cossacos como em petrogrado aquele dia
apenas você nua e eu como nasci
eu dormindo e você sonhando

não vai mais ter multidões gritando como em petrogrado
[aquele dia
silêncio nós dois murmúrios azuis
eu e você dormindo e sonhando

nunca mais vai ter um dia como em petrogrado aquele dia
nada como um dia indo atrás do outro vindo
você e eu sonhando e dormindo

∴

dança da chuva

senhorita chuva
me concede a honra
desta contradança
e vamos sair
por esses campos
ao som desta chuva
que cai sobre o teclado

•

aqui

nesta pedra

alguém sentou
olhando o mar

o mar
não parou
pra ser olhado

foi mar
pra tudo quanto é lado

•

um deus também é o vento
só se vê nos seus efeitos
árvores em pânico
bandeiras
água trêmula
navios a zarpar

me ensina
a sofrer sem ser visto
a gozar em silêncio
o meu próprio passar
nunca duas vezes
no mesmo lugar

a este deus
que levanta a poeira dos caminhos
os levando a voar
consagro este suspiro

nele cresça
até virar vendaval

um passarinho
volta pra árvore
que não mais existe

meu pensamento
voa até você
só pra ficar triste

• . .

tenho andado fraco

levanto a mão
é uma mão de macaco

tenho andado só
lembrando que sou pó

tenho andado tanto
diabo querendo ser santo

tenho andado cheio
o copo pelo meio

tenho andado sem pai

yo no creo en caminos
pero que los hay
                    hay

. .

um dia
a gente ia ser homero
a obra nada menos que uma ilíada

depois
a barra pesando
dava pra ser aí um rimbaud
um ungaretti um fernando pessoa qualquer
um lorca um éluard um ginsberg

por fim
acabamos o pequeno poeta de província
que sempre fomos
por trás de tantas máscaras
que o tempo tratou como a flores

•

um poema
que não se entende
é digno de nota

a dignidade suprema
de um navio
perdendo a rota

•

Meu avô-macaco
Aquele que Darwin buscou
Me olha do galho:
Busca a força dos caninos
O vigor dos pulsos
O arfar do peito
O menear da cabeça
O trabalho

Tudo se foi

Nada mais resta
Do fulgor primata
Da força de boi

Saber
Saber mata

espaçotemponave para alice

frag
mentos
do naufrágio
da vida
jogados
na praia
de uma terra desconhecida
porisso
nos apertar
tanto
nos juntar
tanto
juntos enfrentar
a noite
dos espaços interestelares

dois loucos no bairro

um passa os dias
chutando postes para ver se acendem

o outro as noites
apagando palavras
contra um papel branco

todo bairro tem um louco
que o bairro trata bem
só falta mais um pouco
pra eu ser tratado também

bate o vento eu movo
volta a bater de novo
a me mover eu volto
sempre em volta deste
meu amor ao vento

nada foi
feito o sonhado
mas foi bem-vindo
feito tudo
fosse lindo

para a liberdade e luta

me enterrem com os trotskistas
na cova comum dos idealistas
onde jazem aqueles
que o poder não corrompeu

me enterrem com meu coração
na beira do rio
onde o joelho ferido
tocou a pedra da paixão

meu coração de polaco voltou
coração que meu avô
trouxe de longe pra mim
um coração esmagado
um coração pisoteado
um coração de poeta

escura a rua
escuro
meu duro desejo
duro
feito dura
essa duna
donde
o poema
uma
esp
uma
doendo
cx
pl
ode

hoje o circo está na cidade
todo mundo me telefonou
hoje eu acho tudo uma preguiça
esses dias de encher linguiça
entre um triunfo e um waterloo

•

você
que a gente chama
quando gama
quando está com medo
e mágua
quando está com sede
e não tem água
você
só você
que a gente segue
até que acaba
em cheque
ou em chamas
qualquer som
qualquer um
pode ser tua voz
teu zum-zum-zum
todo susto
sob a forma
de um súbito arbusto
seixo solto
céu revolto
pode ser teu vulto
ou tua volta

•

esperas frustras
vésperas frutas
matérias brutas
quantas estrelas
custas?

oração de pajé

que eu seja erva raio
no coração de meus amigos
árvore força
na beira do riacho
pedra na fonte
estrela
          na borda
                    do abismo

moinho de versos
movido a vento
em noites de boemia

vai vir o dia
quando tudo que eu diga
seja poesia

dia
dai-me
a sabedoria de caetano
nunca ler jornais
a loucura de glauber
ter sempre uma cabeça cortada a mais
a fúria de décio
nunca fazer versinhos normais

ver
é dor
ouvir
é dor
ter
é dor
perder
é dor

só doer
não é dor
delícia
de experimentador

lembrem de mim
como de um
que ouvia a chuva
como quem assiste missa
como quem hesita, mestiça,
entre a pressa e a preguiça

furo a parede branca
para que a lua entre
e confira com a que,
frouxa no meu sonho,
é maior do que a noite

como um coto caro ao roto
incrédulo tiago
toco as chagas
que me chegam
do passado
mutilado

toco o nada
aquele nada que não para
aquele agora nada
que tinha
a minha
cara

nada não
que nada nenhum
declara tamanha danação

tanta maravilha
maravilharia durar
aqui neste lugar
onde nada dura
onde nada para
para ser ventura

sim
eu quis a prosa
essa deusa
só diz besteiras
fala das coisas
como se novas

não quis a prosa
apenas a ideia
uma ideia de prosa
em esperma de trova
um gozo
uma gosma

uma poesia porosa

não fosse isso e era menos
não fosse tanto e era quase

poema na página
mordida de criança
na fruta madura

•

olhar paralisador nº 91

o olhar da cobra para
dispara
paralisa o pássaro

meu olhar
cai de mim
laser
luar

meu despertar
meu amor desesperado
meu mau olhado

despertar
do meu olhar
despertador

meu olhar
leitor

quem come o teu trabalho como eu como este gomo ou
[dou este gole?

apagar-me
diluir-me
desmanchar-me
até que depois
de mim
de nós
de tudo
não reste mais
que o charme

coração
PRA CIMA
escrito embaixo
FRÁGIL

que tudo passe

passe a noite
passe a peste
passe o verão
passe o inverno
passe a guerra
e passe a paz

passe o que nasce
passe o que nem
passe o que faz
passe o que faz-se

que tudo passe
e passe muito bem

soprando esse bambu
só tiro
o que lhe deu o vento

féretro para uma gaveta

esta a gaveta do vício
rimbaud tinha uma
muitas   hendrix
mallarmé nenhuma

esta a gaveta
de um armário impossível

fazia poesia

e a maioria saía
tal a poesia que fazia

fazia poesia

e a poesia que fazia
não é essa
que nos faz alma vazia

fazia poesia

e a poesia que fazia
era outra filosofia

fazia poesia

e a poesia que fazia
tinha tamanho família

fazia poesia

e fez alto
em nossa folia

fazia tanta poesia
ainda vai ter poesia um dia

•

entro e saio

dentro
é só ensaio

•

via sem saída
via bem

via aqui
via além
não via o trem

via sem saída
via tudo
não via a vida

via tudo que havia
não via a vida
a vida havia

•

CURVA PSICODÉLICA
a mente salta dos trilhos

LÓGICA ARISTOTÉLICA
não legarei a meus filhos

evapora
perfume
para o lume
lá em cima
o alto lume
respira
perfumes
você
se lança
cume
nume
névoa
vaga-lumes

manchete

CHUTES DE POETA
NÃO LEVAM PERIGO À META

eu queria tanto
ser um poeta maldito
a massa sofrendo
enquanto eu profundo medito

eu queria tanto
ser um poeta social
rosto queimado
pelo hálito das multidões

em vez
olha eu aqui
pondo sal
nesta sopa rala
que mal vai dar para dois

a máquina
engole página
cospe poema
engole página
cospe propaganda

MAIÚSCULAS
minúsculas

a máquina
engole carbono
cospe cópia
cospe cópia
engole poeta
cospe prosa

MINÚSCULAS
maiúsculas

•

a noite
me pinga uma estrela no olho
e passa

•

cansei da frase polida
por anjos da cara pálida
palmeiras batendo palmas
ao passarem paradas
agora eu quero a pedrada
chuva de pedras palavras
distribuindo pauladas

acordo logo durmo
durmo logo acordo
nem memórias nem diários
comigo mesmo dialogo
daqui até ali
dali até logo

já fui coisa
escrita na lousa
hoje sem musa
apenas meu nome
escrito na blusa

o mestre gira o globo
balança a cabeça e diz

o mundo é isso e assim

livros alunos aparelhos
somem pelas janelas

nuvem de pó de giz

en la lucha de clases
todas las armas son buenas
piedras
noches
poemas

você para
a fim de ver
o que te espera

só uma nuvem
te separa
das estrelas

não discuto
com o destino

o que pintar
eu assino

o sol escreve
em tua pele
o nome de outra raça

esquece
em cada uva
a história do céu
do vento
e da chuva

a vida é as vacas
que você põe no rio
para atrair as piranhas
enquanto a boiada passa

você
com quem falo
e não falo

centauro

homemcavalo

você
não existe

preciso criá-lo

confira

tudo que respira
conspira

ana vê alice
como se nada visse
como se nada ali estivesse
como se ana não existisse

vendo ana
alice descobre a análise
ana vale-se
da análise de alice
faz-se Ana Alice

• . .

a vida varia
o que valia menos
passa a valer mais
quando desvaria

•

vento
que é vento
fica

parede
parede
passa

meu ritmo
bate no vento
e se
    des
        pe
            da
                ça

johny? está me ouvindo? sim sim claro tua mãe e eu perdoamos
já perdoamos eu disse perdoamos isso acontece claro acontece a
qualquer um eu disse qualquer um é to anyone do you hear me yes
we forgive you i said your mother your mother forgives you yes
you do you hear me now whatever it is é claro tudo perdoado tua
mãe perdoa mãe sempre perdoa tudo eu disse tudo forgives yes
your mother and i we never never pai sempre perdoa i forgive you
perdoo perdoo agora vá dormir my poor johny dormir eu disse já
disse que perdoo tua mãe perdoa agora johny está me ouvindo johny
está me ouvindo when i say do you hear me yes johny do you do you do

riso para gil

teu riso
reflete no teu canto
rima rica
raio de sol
em dente de ouro

"everything is gonna be alright"

teu riso
diz sim
teu riso
satisfaz

enquanto o sol
que imita teu riso
não sai

• • •

tão longe eu lhe disse até logo
um pouco de tudo passou-se outra vez
e foi uma vez toda feita de jogos
aquela outra vez que não soube ser vez
pois voltou e voltou e voltou
sem saber que de duas uma
nunca são três

•

quero a vitória
    do time de várzea

valente

covarde

    a derrota
    do campeão

5 × 0
    em seu próprio chão

            circo
            dentro
            do pão

um pouco de mao
em todo poema que ensina

quanto menor
mais do tamanho da china

de repente
me lembro do verde
da cor verde
a mais verde que existe
a cor mais alegre
a cor mais triste
o verde que vestes
o verde que vestiste
o dia em que eu te vi
o dia em que me viste

de repente
vendi meus filhos
a uma família americana
eles têm carro
eles têm grana
eles têm casa
a grama é bacana
só assim eles podem voltar
e pegar um sol em copacabana

carta ao acaso

a carta do baralho
  grande gilete
corta sem barulho
  o olho do valete
o rei a fio de espada
  a água e a farinha
uma só passada
  a espada na rainha

∴

soubesse que era assim
não tinha nascido
e nunca teria sabido

ninguém nasce sabendo
até que eu sou meio esquecido
mas disso eu sempre me lembro

∴

nuvens brancas
passam
          em brancas nuvens

∴

meus amigos
quando me dão a mão
sempre deixam
outra coisa

presença
olhar
lembrançacalor

meus amigos
quando me dão
deixam na minha
a sua mão

•

o pauloleminski
é um cachorro louco
que deve ser morto
a pau a pedra
a fogo a pique
senão é bem capaz
o filhadaputa
de fazer chover
em nosso piquenique

•

queima me um beijo   fogueira de restos do amor
queima   se pode
queima a suspeita   que em meu peito teima
quebra meu dia   que em tanta pedra explode
queima meu nome   que em fogo teu transforme
essa tempestade   a vida   em tempo de poesia
queima me tanto   que me lembre   sempre
o vento   que me leva   para a frente   ventania

• . .

dia de reis passou
o ano avança a maio
os reis passaram
flor
maria
trabalho
o povo ficou
mãe
maioria
os povos ficaram

. .

nascemos em poemas diversos
destino quis que a gente se achasse
na mesma estrofe e na mesma classe
no mesmo verso e na mesma frase

rima à primeira vista nos vimos
trocamos nossos sinônimos
olhares não mais anônimos

nesta altura da leitura
nas mesmas pistas
mistas a minha a tua a nossa linha

acordei bemol
tudo estava sustenido

sol fazia
só não fazia sentido

Amor, então,
também, acaba?
Não, que eu saiba.
O que eu sei
é que se transforma
numa matéria-prima
que a vida se encarrega
de transformar em raiva.
Ou em rima.

pariso
novayorquizo
moscoviteio
sem sair do bar

só não levanto e vou embora
porque tem países
que eu nem chego a madagascar

mira telescópica
de rifle de precisão
ou janela quebrada
onde uma criança se debruça
pra ver as coisas que são
cenas da revolução russa?

ameixas
ame-as
ou deixe-as

parem
eu confesso
sou poeta

cada manhã que nasce
me nasce
uma rosa na face

parem
eu confesso
sou poeta

só meu amor é meu deus

eu sou o seu profeta

QUE TAL SE
FOSSE REAL
ESSE REALCE
QUE GIL SE
VIU VIAJOU
SE VIA GIL?

o barro
toma a forma
que você quiser

você nem sabe
estar fazendo apenas
o que o barro quer

•

grande angular para a zap

as cidades do ocidente
nas planícies
na beira-mar
do lado dos rios
feras abatidas a tiro
durante a noite

de dia
um motor mantém todas
vivas e acesas LUCRO

à noite
fantasmas das coisas não ditas
sombras das coisas não feitas
vêm
pé ante pé
mexer em seus sonhos

as cidades do ocidente
gritam
gritam
demônios loucos
por toda a madrugada

•

o poema
na página
uma cortina

na janela
uma paisagem
assassina

• . .

ascensão apogeu e queda da vida paixão e morte
do poeta enquanto ser que chora enquanto
chove lá fora e alguém canta
a última esperança de chegar
à estação da luz e pegar o primeiro trem
para muito além das serras que azulam no horizonte
e o separam da aurora da sua vida

: .

inverno
primavera
poeta é
quem se considera

•

nunca quis ser
freguês distinto
pedindo isso e aquilo
vinho tinto
obrigado
hasta la vista

queria entrar
com os dois pés
no peito dos porteiros
dizendo pro espelho
— cala a boca
e pro relógio
— abaixo os ponteiros

à pureza com que sonha
o compositor popular

um dia poder compor
uma canção de ninar

it’s only life
but i like it

let’s go
baby
let’s go

this is life

it is not
rock and roll

ideolágrimas

no que eu sinta
sim um pouco de papel
muito de fita
e um tanto de tinta

pego esse mundo
bato na cabeça
quem sabe eu esqueça
quem sabe ele enfim

haikai do mundo
haikai de mim

•

a água que me chama
em mim deságua
a chama que me mágua

•

duas folhas na sandália

o outono
também quer andar

•

hoje à noite
até as estrelas
cheiram a flor de laranjeira

a palmeira estremece
palmas para ela
que ela merece

relógio parado
o ouvido ouve
o tic tac passado

pity
pity
the bird

to
the
city

a estrela cadente
me caiu ainda quente
na palma da mão

noite
a vespa pica
a estrela vésper

passa e volta
a cada gole
uma revolta

bateu na patente
batata
tem gente

aqui é alto

anos não ouço
o c(h)oro dos sapos

verde a árvore caída
vira amarelo
a última vez na vida

nada me demove
ainda vou ser
o pai dos irmãos karamázov

por um fio
o fio foi-se
o fio da foice

no espelho
de relance
a cor do sonho
de ontem

beija
flor
na chuva

gota
alguma
derruba

na rua
    sem resistir

me chamam

torno a existir

    lua de outono
por ti
    quantos s/ sono

nada que eu faça
altera este fato

a folha de alface
é a última no prato

debruçado num buraco
vendo o vazio
                    ir e vir

•

casa com cachorro brabo
meu anjo da guarda
                    abana o rabo

•

no chão
minhas sandálias

pegadas

como pegá-las?

•

    furta a flor
ao crepúsculo cor de fruta
    pássaro tecnicólor

•

milagre de inverno
agora é ouro
a água das laranjas

•
•
•

xavante
muitos xxxxx
avante

• •

luxo saber

além destas telhas
um céu de estrelas

•

a chuva é fraca
cresçam com força
línguas-de-vaca

•

sumiu
o ciúme

vaga
  vazio
    o vaga
      lume

as coisas estão pretas

uma chuva de estrelas
deixa no papel
esta poça de letras

rio
 do que não rio
      rindo
        da criança rindo

 esquentar numa fogueira
o frio que sinto
 ao contemplar estrelas?

cabelos que me caem
em cada um
mil anos de haikai

a folhas tantas
o outono
nem sabe a quantas

1º dia de aula
na sala de aula
eu e a sala

roupas no varal

deus seja louvado
entre as coisas lavadas

a chuva vem de cima

correm
como se viesse atrás

a flauta índia
diz sempre

não ainda

pelo
branco
magnólia

o

azul
manhã
vermelho
olha

sol-te

sol-te

SOLTE O SOL

SOLTE
TODO SOL
TODA SORTE

PODE
QUE VOLTE

leve tempo
do verbo ir

leve ninguém
num tempo
qualquer

ir sendo
como vai o verbo
nenhum querer
querendo

nem toda ***hora***
é obra
nem toda obra
é *prima*
algumas são mães
outras irmãs
algumas
clima

dıssabor
de prazer
eu prazo

dessaber
de passar
acaso

certeza
sorte
aqui
me
jazo

eu
tão isósceles
você
ângulo
hipóteses
sobre meu tesão

teses
sínteses
antíteses
vê bem onde pises
pode ser meu coração

você me amava
disse
a margarida

a margarida
é doce
amarga a vida

de ouvido

di vi
di do
entre
o
ver
&
o
vidro
du vi do

SIGNO
SIGO
NA NOITE
O DESTINO

SER
AQUILO
QUE A SOMBRA
QUIS
PARA NOIVO

SOL
LUA
PORQUE SÓ UM
DE CADA
NO CÉU
FLUTUA

ATÉ ELA

DE PÉ
EM PÉTALA
DE PÉTALA
EM PÉTALA
ATÉ
DESPETALÁ-LA

tudo
que
li
me
irrita
quando
ouço
rita
lee

ai pra bashô

SEM P
NEM M ÃE
AIS

PERHAPPINESS

se
nem
for
terra

se
trans
for
mar

tudo
s u c e d e
s ú b i t o

eu não faço
expludo

a impressão do teu
corpo no meu

mexeu

da árvore

o ó

o u

o t

o ó

o n

o ó

um tombo

só

ao que tudo indica

tudo indica

só ver como tudo fica

PRA QUE CARA FEIA?
NA VIDA
NINGUÉM PAGA MEIA.

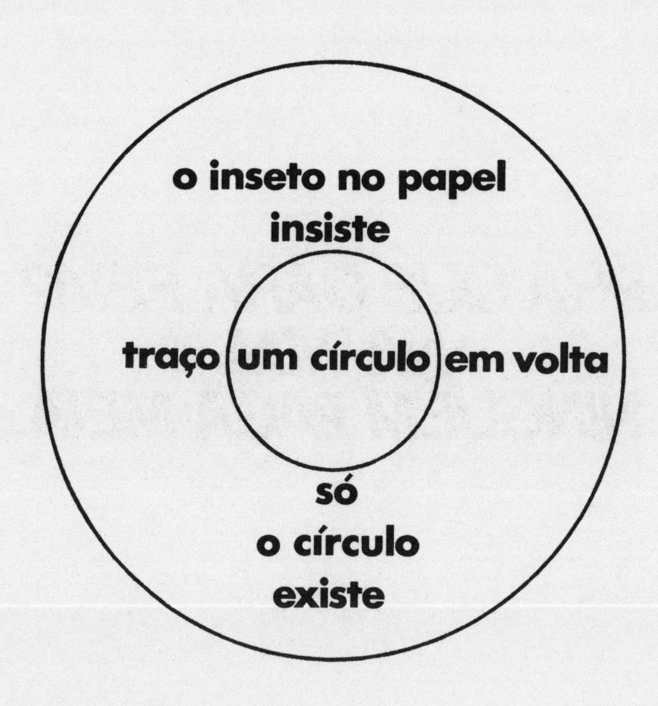
o inseto no papel
insiste
traço
um círculo
em volta
só
o círculo
existe

de som a som
ensino o silêncio
a ser sibilino

de sino em sino
o silêncio ao som
ensino

eu te fiz
agora

sou teu deus
poema

ajoelha
e
me
adora

SÍ LA BA

MIM

PA LA VRA

SEM

F I M

F I M

F I M

KAMI QUASE

palpite

o graffiti
é o limite

LUA NA AGUA

ALGUMA LUA

LUA ALGUMA

contos semióticos

papajoyceatwork

(Noite. Joyce começa a escrever)
Madmanam eye! Light gone out!
(Cai no papel)
Mustmakesomething! Reverythming!
(Morde os lábios e gargalha)
A poorirish is a writer mehrlichtsearching, yesternighteternidades!
(Troveja. Relâmpagos iluminam o quarto. Joyce prossegue)
Thomasmorrows? Horriver!
Nice and sweet — the speech of England, damnyou! Dont?
Must destroy it, just like a destroyer would do it yourself!
[Como um verme. Yes, I no.
Done to Ireland! What have they done? It will do.
Beforeblacksblanco, we are even, this very evening! Think is so.
My vengeance will be as big as say a country as big as say Brazil.
Someday my prince will come. Our prince: Seabastião!
Arrise, Lewisrockandcarroll!
Waterrestrela, am I a dayer?
Just a wakewriter.

. . .

o assassino era o escriba

Meu professor de análise sintática era o tipo do sujeito inexistente.
Um pleonasmo, o principal predicado da sua vida, regular como um paradigma da 1ª conjugação.
Entre uma oração subordinada e um adjunto adverbial, ele não tinha dúvidas: sempre achava um jeito assindético de nos torturar com um aposto.
Casou com uma regência.
Foi infeliz.
Era possessivo como um pronome.
E ela era bitransitiva.
Tentou ir para os EUA.
Não deu.
Acharam um artigo indefinido em sua bagagem.
A interjeição do bigode declinava partículas expletivas, conectivos e agentes da passiva, o tempo todo.
Um dia, matei-o com um objeto direto na cabeça.

invenções

hai-cai: hi-fi

I.

chove
na única
qu'houve

cavalo com guizos
sigo com os olhos
e me cavalizo

de espanto
espontânea oh
espantânea

o
cor
v
voo
é
neg
r
ati
v
viv
o

a
jib
b
boi
a
com
m
ome
u
hum
m
boi

o
gat
é
tão
l
ent
o
qua
n
nto
l
end
o

o
vac
c
cuo
é
ond
e
vac
c
cas
v
vão
b
ber

a
chu
v
uva
é
mai
o
aio
e
que
o
gua
r
rda
c
chu
v
uva
a

e
est
e
mes
m
smo
m
mes
a
esm
m
smo
n
est
a
mes
m
sma
m
esa

a grave advertência dos portões de bronze
das mansões senhoriais
a advertência dos portões das mansões
a advertência dos portões
a advertência
a ânsia

•

materesmofo
temaserfomo
termosfameo
tremesfooma
metrofasemo
mortemesafo
amorfotemes
emarometesf
eramosfetem
fetomormesa
mesamorfeto
efatormesom
maefortosem
saotemorfem
termosefoma
faseortomem
motormefase
matermofeso
metaformose

•

PARKER
TEXACO

ESSO
FORD

ADAMS
FABER

MELHORAL
SONRISAL

RINSO
LEVER
GESSY

RCE
GE

MOBILOIL
KOLYNOS

ELECTRIC
COLGATE
MOTORS

GENERAL

casas pernambucanas

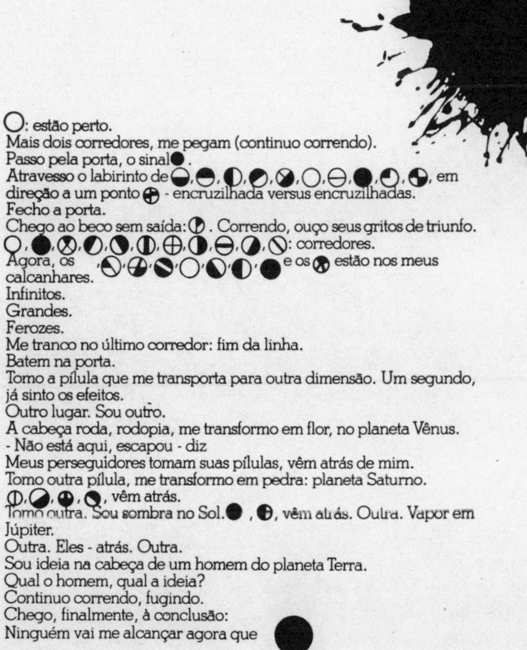

: estão perto.
Mais dois corredores, me pegam (continuo correndo).
Passo pela porta, o sinal .
Atravesso o labirinto de , em direção a um ponto - encruzilhada versus encruzilhadas.
Fecho a porta.
Chego ao beco sem saída: . Correndo, ouço seus gritos de triunfo.
: corredores.
Agora, os e os estão nos meus calcanhares.
Infinitos.
Grandes.
Ferozes.
Me tranco no último corredor: fim da linha.
Batem na porta.
Tomo a pílula que me transporta para outra dimensão. Um segundo, já sinto os efeitos.
Outro lugar. Sou outro.
A cabeça roda, rodopia, me transformo em flor, no planeta Vênus.
- Não está aqui, escapou - diz
Meus perseguidores tomam suas pílulas, vêm atrás de mim.
Tomo outra pílula, me transformo em pedra: planeta Saturno.
, vêm atrás.
Tomo outra. Sou sombra no Sol. , , vêm atrás. Outra. Vapor em Júpiter.
Outra. Eles - atrás. Outra.
Sou ideia na cabeça de um homem do planeta Terra.
Qual o homem, qual a ideia?
Continuo correndo, fugindo.
Chego, finalmente, à conclusão:
Ninguém vai me alcançar agora que

distraídos venceremos

[1987]

nota do editor

Distraídos venceremos é a última obra poética de Leminski publicada em vida, em 1987, pela editora Brasiliense. Na abertura do livro havia um índice autoral, intitulado "Índice, ícone e símbolo". Optamos por não reproduzi-lo, já que há um sumário no começo deste volume e um índice de primeiros versos ao final. A primeira edição conta também com uma apresentação do autor, "Transmatéria contrassenso", que foi incluída aqui no apêndice.

Em direção a Alice,
cúmplice nesse crime de lesa-vida
chamado poesia.
Para Antonio Cícero, Arnaldo "Titã" Antunes
e — sobretudo — para Itamar Assumpção.

Que flecha é aquela no calcanhar daquilo? Pela pena, é persa, pela precisão do tiro, um mestre. Ora, os mestres persas são sempre velhos. E mestre, persa e velho só pode ser Artaxerxes ou um irmão, ou um amigo, ou discípulo, ou então simplesmente alguém que passava e atirou por despautério num momento gaudério de distração.

Catatau, p. 33.

distraídos venceremos

aviso aos náufragos

Esta página, por exemplo,
não nasceu para ser lida.
Nasceu para ser pálida,
um mero plágio da Ilíada,
alguma coisa que cala,
folha que volta pro galho,
muito depois de caída.

Nasceu para ser praia,
quem sabe Andrômeda, Antártida,
Himalaia, sílaba sentida,
nasceu para ser última
a que não nasceu ainda.

Palavras trazidas de longe
pelas águas do Nilo,
um dia, esta página, papiro,
vai ter que ser traduzida,
para o símbolo, para o sânscrito,
para todos os dialetos da Índia,
vai ter que dizer bom-dia
ao que só se diz ao pé do ouvido,
vai ter que ser a brusca pedra
onde alguém deixou cair o vidro.
Não é assim que é a vida?

a lei do quão

Deve ocorrer em breve
uma brisa que leve
um jeito de chuva
à última branca de neve.

Até lá, observe-se
a mais estrita disciplina.
A sombra máxima
pode vir da luz mínima.

minifesto

ave a raiva desta noite
a baita lasca fúria abrupta
louca besta vaca solta
ruiva luz que contra o dia
tanto e tarde madrugastes

morra a calma desta tarde
morra em ouro
enfim, mais seda
a morte, essa fraude,
quando próspera

viva e morra sobretudo
este dia, metal vil,
surdo, cego e mudo,
nele tudo foi e, se ser foi tudo,
já nem tudo nem sei
se vai saber a primavera
ou se um dia saberei
que nem eu saber nem ser nem era

Vim pelo caminho difícil,
a linha que nunca termina,
a linha bate na pedra,
a palavra quebra uma esquina,
mínima linha vazia,
a linha, uma vida inteira,
palavra, palavra minha.

adminimistério

Quando o mistério chegar,
já vai me encontrar dormindo,
metade dando pro sábado,
outra metade, domingo.
Não haja som nem silêncio,
quando o mistério aumentar.
Silêncio é coisa sem senso,
não cesso de observar.
Mistério, algo que, penso,
mais tempo, menos lugar.
Quando o mistério voltar,
meu sono esteja tão solto,
nem haja susto no mundo
que possa me sustentar.

Meia-noite, livro aberto.
Mariposas e mosquitos
pousam no texto incerto.
Seria o branco da folha,
luz que parece objeto?
Quem sabe o cheiro do preto,
que cai ali como um resto?
Ou seria que os insetos
descobriram parentesco
com as letras do alfabeto?

•

distâncias mínimas

um texto morcego
se guia por ecos
um texto texto cego
um eco anti anti anti antigo
um grito na parede rede rede
volta verde verde verde
com mim com com consigo
ouvir é ver se se se se se
ou se se me lhe te sigo?

saudosa amnésia

a um amigo que perdeu a memória

Memória é coisa recente.
Até ontem, quem lembrava?
A coisa veio antes,
ou, antes, foi a palavra?
Ao perder a lembrança,
grande coisa não se perde.
Nuvens, são sempre brancas.
O mar? Continua verde.

iceberg

Uma poesia ártica,
claro, é isso que desejo.
Uma prática pálida,
três versos de gelo.
Uma frase-superfície
onde vida-frase alguma
não seja mais possível.
Frase, não. Nenhuma.
Uma lira nula,
reduzida ao puro mínimo,
um piscar do espírito,
a única coisa única.
Mas falo. E, ao falar, provoco
nuvens de equívocos
(ou enxame de monólogos?).
Sim, inverno, estamos vivos.

por um lindésimo de segundo

tudo em mim
anda a mil
tudo assim
tudo por um fio
tudo feito
tudo estivesse no cio
tudo pisando macio
tudo psiu

tudo em minha volta
anda às tontas
como se as coisas
fossem todas
afinal de contas

. . •

Transar bem todas as ondas
a Papai do Céu pertence,
fazer as luas redondas
ou me nascer paranaense
A nós, gente, só foi dada
essa maldita capacidade,
transformar amor em nada.

•

passe a expressão

Esses tais artefatos
que diriam minha angústia,
tem umas que vêm fácil,
tem muitas que me custa.
Tem horas que é caco de vidro,
meses que é feito um grito,
tem horas que eu nem duvido,
tem dias que eu acredito.
Então seremos todos gênios
quando as privadas do mundo
vomitarem de volta
todos os papéis higiênicos.

o mínimo do máximo

Tempo lento,
espaço rápido,
quanto mais penso,
menos capto.
Se não pego isso
que me passa no íntimo,
importa muito?
Rapto o ritmo.
Espaçotempo ávido,
lento espaçodentro,
quando me aproximo,
apenas o mínimo
em matéria de máximo.

signo ascendente

Nem todo espelho
reflita este hieroglifo.
Nem todo olho
decifre esse ideograma.
Se tudo existe
para acabar num livro,
se tudo enigma
a alma de quem ama!

além alma (uma grama depois)

Meu coração lá de longe
faz sinal que quer voltar
Já no peito trago em bronze:
NÃO TEM VAGA NEM LUGAR
Pra que me serve um negócio
que não cessa de bater?
Mais me parece um relógio
que acaba de enlouquecer.
Pra que é que eu quero quem chora,
se estou tão bem assim,
e o vazio que vai lá fora
cai macio dentro de mim?

plena pausa

Lugar onde se faz
o que já foi feito,
branco da página,
soma de todos os textos,
foi-se o tempo
quando, escrevendo,
era preciso
uma folha isenta.

Nenhuma página
jamais foi limpa.
Mesmo a mais Saara,
ártica, significa.
Nunca houve isso,
uma página em branco.
No fundo, todas gritam,
pálidas de tanto.

merda e ouro

Merda é veneno.
No entanto, não há nada
que seja mais bonito
que uma bela cagada.
Cagam ricos, cagam padres,
cagam reis e cagam fadas.
Não há merda que se compare
à bosta da pessoa amada.

o par que me parece

Pesa dentro de mim
o idioma que não fiz,
aquela língua sem fim
feita de ais e de aquis.
Era uma língua bonita,
música, mais que palavra,
alguma coisa de hitita,
praia do mar de Java.
Um idioma perfeito,
quase não tinha objeto.
Pronomes do caso reto,
nunca acabavam sujeitos.
Tudo era seu múltiplo,
verbo, triplo, prolixo.
Gritos eram os únicos.
O resto ia pro lixo.
Dois leos em cada pardo,
dois saltos em cada pulo,
eu que só via a metade,
silêncio, está tudo duplo.

arte do chá

ainda ontem
convidei um amigo
para ficar em silêncio
comigo

ele veio
meio a esmo
praticamente não disse nada
e ficou por isso mesmo

proema

Não há verso,
tudo é prosa,
passos de luz
num espelho,
verso, ilusão
de ótica,
verde,
o sinal vermelho.

Coisa
feita de brisa,
de mágoa
e de calmaria,
dentro
de um tal poema,
qual poesia
pousaria?

●

Eu, hoje, acordei mais cedo
e, azul, tive uma ideia clara.
Só existe um segredo.
Tudo está na cara.

desencontrários

Mandei a palavra rimar,
ela não me obedeceu.
Falou em mar, em céu, em rosa,
em grego, em silêncio, em prosa.
Parecia fora de si,
a sílaba silenciosa.

Mandei a frase sonhar,
e ela se foi num labirinto.
Fazer poesia, eu sinto, apenas isso.
Dar ordens a um exército,
para conquistar um império extinto.

o que quer dizer

para Haroldo de Campos,
translator maximus

O que quer dizer, diz.
Não fica fazendo
o que, um dia, eu sempre fiz.
Não fica só querendo, querendo,
coisa que eu nunca quis.
O que quer dizer, diz.
Só se dizendo num outro
o que, um dia, se disse,
um dia, vai ser feliz.

um metro de grito (máquinas líquidas)

Leiam-se índices,
mil olhos de lince,
entre meus filmes,
leonardos da vinci.
Abri-vos, arcas, arquivos,
súmulas de equívocos,
fechados,
para que servem os livros?

Livros de vidro,
discos, issos, aquilos,
coisas que eu vendo a metro,
eles me compram aos quilos.
Líquidas lâminas,
linhas paralelas,
quanto me dão
por minhas ideias?

•

sorte no jogo
azar no amor
de que me serve
sorte no amor
se o amor é um jogo
e o jogo não é meu forte,
meu amor?

claro calar sobre uma cidade sem ruínas (ruinogramas)

Em Brasília, admirei.
Não a niemeyer lei,
a vida das pessoas
penetrando nos esquemas
como a tinta sangue
no mata-borrão,
crescendo o vermelho gente,
entre pedra e pedra,
pela terra adentro.

Em Brasília, admirei.
O pequeno restaurante clandestino,
criminoso por estar
fora da quadra permitida.
Sim, Brasília.
Admirei o tempo
que já cobre de anos
tuas impecáveis matemáticas.

Adeus, Cidade.
O erro, claro, não a lei.
Muito me admirastes,
muito te admirei.

Carrego o peso da lua,
Três paixões mal curadas,
Um saara de páginas,
Essa infinita madrugada.

Viver de noite
Me fez senhor do fogo.
A vocês, eu deixo o sono.
O sonho, não.
Esse, eu mesmo carrego.

nomes a menos

Nome mais nome igual a nome,
uns nomes menos, uns nomes mais.
Menos é mais ou menos,
nem todos os nomes são iguais.

Uma coisa é a coisa, par ou ímpar,
outra coisa é o nome, par e par,
retrato da coisa quando límpida,
coisa que as coisas deixam ao passar.

Nome de bicho, nome de mês, nome de estrela,
nome dos meus amores, nomes animais,
a soma de todos os nomes,
nunca vai dar uma coisa, nunca mais.

Cidades passam. Só os nomes vão ficar.
Que coisa dói dentro do nome
que não tem nome que conte
nem coisa pra se contar?

volta em aberto

Ambígua volta
em torno da ambígua ida,
quantas ambiguidades
se pode cometer na vida?
Quem parte leva um jeito
de quem traz a alma torta.
Quem bate mais na porta?
Quem parte ou quem torna?

o náufrago náugrafo

a letra A a
funda no A
tlântico
e pacífico com
templo a luta
entre a rápida letra
e o oceano
lento

assim
fundo e me afundo
de todos os náufragos
náugrafo
o náufrago
mais
profundo

bem no fundo

no fundo, no fundo,
bem lá no fundo,
a gente gostaria
de ver nossos problemas
resolvidos por decreto

a partir desta data,
aquela mágoa sem remédio
é considerada nula
e sobre ela — silêncio perpétuo

extinto por lei todo o remorso,
maldito seja quem olhar pra trás,
lá pra trás não há nada,
e nada mais

mas problemas não se resolvem,
problemas têm família grande,
e aos domingos saem todos passear
o problema, sua senhora
e outros pequenos probleminhas

sem budismo

Poema que é bom
acaba zero a zero.
Acaba com.
Não como eu quero.
Começa sem.
Com, digamos, certo verso,
veneno de letra,
bolero. Ou menos.
Tira daqui, bota dali,
um lugar, não caminho.
Prossegue de si.
Seguro morreu de velho,
e sozinho.

•. .

o amor, esse sufoco,
agora há pouco era muito,
agora, apenas um sopro

ah, troço de louco,
corações trocando rosas,
e socos

•

o hóspede despercebido

Deixei alguém nesta sala
que muito se distinguia
de alguém que ninguém se chamava,
quando eu desaparecia.
Comigo se assemelhava,
mas só na superfície.
Bem lá no fundo, eu, palavra,
não passava de um pastiche.
Uns restos, uns traços, um dia,
meus tios, minhas mães e meus pais
me chamarem de volta pra dentro,
eu ainda não volte jamais.
Mas ali, logo ali, nesse espaço,
lá se vai, exemplo de mim,
algo, alguém, mil pedaços,
meio início, meio a meio, sem fim.

aço em flor

para Koji Sakaguchi,
portal amigo entre o
Japão e o Brasil

Quem nunca viu
que a flor, a faca e a fera
tanto fez como tanto faz,
e a forte flor que a faca faz
na fraca carne,
um pouco menos, um pouco mais,
quem nunca viu
a ternura que vai
no fio da lâmina samurai,
esse, nunca vai ser capaz.

a lua no cinema

A lua foi ao cinema,
passava um filme engraçado,
a história de uma estrela
que não tinha namorado.

Não tinha porque era apenas
uma estrela bem pequena,
dessas que, quando apagam,
ninguém vai dizer, que pena!

Era uma estrela sozinha,
ninguém olhava pra ela,
e toda a luz que ela tinha
cabia numa janela.

A lua ficou tão triste
com aquela história de amor,
que até hoje a lua insiste:
— Amanheça, por favor!

anch'io son pittore

fra angélico
quando pintava
uma madona col bambino
se ajoelhava e rezava
como se fosse um menino

orava diante da obra
como se fosse pecado
pintar aquela senhora
sem estar ajoelhado

orava como se a obra
fosse de deus não do homem

podem ficar com a realidade
esse baixo-astral
em que tudo entra pelo cano

eu quero viver de verdade
eu fico com o cinema americano

litogravura

Mão de estátua.
Templo. Coluna. Arco de triunfo.
Mil duzentos e cinquenta.
Qualquer pedra na Europa
é suspeita de ser
mais do que aparenta.

Felizes as pedras da minha terra
que nunca foram senão pedras.
Pedras, a lua esfria
e o sol esquenta.

rimas da moda

1930	1960	1980
amor dor	homem come fome	ama cama

eu ontem tive a impressão
que deus quis falar comigo
não lhe dei ouvidos

quem sou eu para falar com deus?
ele que cuide dos seus assuntos
eu cuido dos meus

300 000 km por segundo

De que música gostam
os pernilongos?
De Schubert, de Wagner,
de Debussy?
Não gostam de nada,
a julgar por este aqui.
Apenas um solo de silêncio,
isso sim,
eu ouvi.

parada cardíaca

Essa minha secura
essa falta de sentimento
não tem ninguém que segure
vem de dentro

Vem da zona escura
donde vem o que sinto
sinto muito
sentir é muito lento

como se eu fosse júlio plaza

prazer
da pura percepção
os sentidos
sejam a crítica
da razão

sortes e cortes

a linha clara   a tesoura traça   na folha branca

separa a folha   a folha   da forma   a forma

um diabo   habita   o branco   do olho   da página

claro   oculto   entre   as claridades

o vazio passa   e deixa   uma saudade

imprecisa premissa

(*quantas curitibas cabem numa só Curitiba?*)

Cidades pequenas,
como dói esse silêncio,
cantilenas, ladainhas,
tudo aquilo que nem penso,
esse excesso
que me faz ver todo o senso,
imprecisa premissa,
definitiva preguiça
com que sobe, indeciso,
o mais ou menos do incenso.
Vila de Nossa Senhora
da Luz dos Pinhais,
tende piedade de nós.

hard feelings

(*a riddle for Martha*)

Oceans,
emotions,
ships, ships,
and other relationships,
keep us going
through the fog
and wandering mist.

What is it
that I missed?

sujeito indireto

Quem dera eu achasse um jeito
de fazer tudo perfeito,
feito a coisa fosse o projeto
e tudo já nascesse satisfeito.
Quem dera eu visse o outro lado,
o lado de lá, lado meio,
onde o triângulo é quadrado
e o torto parece direito.
Quem dera um ângulo reto.
Já começo a ficar cheio
de não saber quando eu falto,
de ser, mim, indireto sujeito.

para que leda me leia
precisa papel de seda
precisa pedra e areia
para que leia me leda

precisa lenda e certeza
precisa ser e sereia
para que apenas me veja

pena que seja leda
quem quer você que me leia

Este poema já foi musicado duas vezes. Uma por Moraes Moreira, outra por Itamar Assumpção. Que tal você?

pareça e desapareça

Parece que foi ontem.
Tudo parecia alguma coisa.
O dia parecia noite.
E o vinho parecia rosas.
Até parece mentira,
tudo parecia alguma coisa.
O tempo parecia pouco,
e a gente se parecia muito.
A dor, sobretudo,
parecia prazer.
Parecer era tudo
que as coisas sabiam fazer.
O próximo, eu mesmo.
Tão fácil ser semelhante,
quando eu tinha um espelho
pra me servir de exemplo.
Mas vice-versa e vide a vida.
Nada se parece com nada.
A fita não coincide
Com a tragédia encenada.
Parece que foi ontem.
O resto, as próprias coisas contem.

ais ou menos

ais ou menos

(*oração pela descrença*)

Senhor,
peço poderes sobre o sono,
esse sol em que me ponho
a sofrer meus ais ou menos,
sombra, quem sabe, dentro de um sonho.
Quero forças para o salto
do abismo onde me encontro
ao hiato onde me falto.
Por dentro de mim, a pedra,
e, aos pés da pedra,
essa sombra, pedra que se esfalfa.
Pedra, letra, estrela à solta,
sim, quero viver sem fé,
levar a vida que falta
sem nunca saber quem é.

voláteis

Anos andando no mato,
nunca vi um passarinho morto,
como vi um passarinho nato.

Onde acabam esses voos?
Dissolvem-se no ar, na brisa, no ato?
São solúveis em água ou em vinho?

Quem sabe, uma doença dos olhos.
Ou serão eternos os passarinhos?

como pode?

Soa estranho, esta manhã,
tudo o que sempre foi meu, como pode?
Como pode que esse som lá fora,
os sons da vida, a voz de todo dia,
pareça ficção científica?

Como pode que esta palavra,
que já vi mil vezes e mil vezes disse,
não signifique mais nada,
a não ser que o dia, a noite, a madrugada,
a não ser que tudo não é nada disso?

Pode que eu já não seja mais o mesmo.
Pode a luz, pode ser, pode céu e pode quanto.
Pode tudo o que puder poder.
Só não pode ser tanto.

Marginal é quem escreve à margem,
deixando branca a página
para que a paisagem passe
e deixe tudo claro à sua passagem.

Marginal, escrever na entrelinha,
sem nunca saber direito
quem veio primeiro,
o ovo ou a galinha.

rosa rilke raimundo correia

Uma pálpebra,
mais uma, mais outras,
enfim, dezenas
de pálpebras sobre pálpebras
tentando fazer
das minhas trevas
alguma coisa a mais
que lágrimas

três metades

Meio dia,
um dia e meio,
meio dia, meio noite,
metade deste poema
não sai na fotografia,
metade, metade foi-se.

Mas eis que a terça metade,
aquela que é menos dose
de matemática verdade
do que soco, tiro, ou coice,
vai e vem como coisa
de ou, de nem, ou de quase.

Como se a gente tivesse
metades que não combinam,
três partes, destempestades,
três vezes ou vezes três,
como se quase, existindo,
só nos faltasse o talvez.

⁂

      impuro espírito
raro respiro
      o ar que aqui tenta
arquiteto
      um vago voo
                  vampiro

ai daqueles
que se amaram sem nenhuma briga
aqueles que deixaram
que a mágoa nova
virasse a chaga antiga

ai daqueles que se amaram
sem saber que amar é pão feito em casa
e que a pedra só não voa
porque não quer
não porque não tem asa

o atraso pontual

Ontens e hojes, amores e ódio,
adianta consultar o relógio?
Nada poderia ter sido feito,
a não ser no tempo em que foi lógico.
Ninguém nunca chegou atrasado.
Bênçãos e desgraças
vêm sempre no horário.
Tudo o mais é plágio.
Acaso é este encontro
entre o tempo e o espaço
mais do que um sonho que eu conto
ou mais um poema que eu faço?

Nem tudo envelhece.
O brilho púrpura,
sob a água pura,
ah, se eu pudesse.

Nem tudo,
sentir fica.
Fica como fica a magnólia,
magnífica.

segundo consta

O mundo acabando,
podem ficar tranquilos.
Acaba voltando
tudo aquilo.

Reconstruam tudo
segundo a planta dos meus versos.
Vento, eu disse como.
Nuvem, eu disse quando.
Sol, casa, rua,
reinos, ruínas, anos,
disse como éramos.

Amor, eu disse como.
E como era mesmo?

peguei as cinco estrelas
do céu uma a uma
elas estrelas não vieram
mas na minha mão
todas elas
ainda me perfuma

asas e azares

Voar com asa ferida?
Abram alas quando eu falo.
Que mais foi que fiz na vida?
Fiz, pequeno, quando o tempo
estava todo do meu lado
e o que se chama passado,
passatempo, pesadelo,
só me existia nos livros.
Fiz, depois, dono de mim,
quando tive que escolher
entre um abismo, o começo,
e essa história sem fim.
Asa ferida, asa
ferida,
meu espaço, meu herói.
A asa arde. Voar, isso não dói.

razão de ser

Escrevo. E pronto.
Escrevo porque preciso,
preciso porque estou tonto.
Ninguém tem nada com isso.
Escrevo porque amanhece,
e as estrelas lá no céu
lembram letras no papel,
quando o poema me anoitece.
A aranha tece teias.
O peixe beija e morde o que vê.
Eu escrevo apenas.
Tem que ter por quê?

desaparecença

Nada com nada se assemelha.
Qual seria a diferença
entre o fogo do meu sangue
e esta rosa vermelha?
Cada coisa com seu peso,
cada quilômetro, seu quilo.
De que é que adianta dizê-lo,
isto, sim, é como aquilo?
Tudo o mais que acontece,
nunca antes sucedeu.
E mesmo que sucedesse,
acontece que esqueceu.
Coisas não são parecidas,
nenhum paralelo possível.
Estamos todos sozinhos.
Eu estou, tu estás, eu estive.

impasse

Parece coisa da pedra,
alguma pedra preciosa,
vidro capaz de treva,
névoa capaz de prosa.
Pela pele, é lírio,
aquela pura delícia.
Mas, por ela, a vida,
a mancha horrível, desliza.

diversonagens suspersas

Meu verso, temo, vem do berço.
Não versejo porque eu quero,
versejo quando converso
e converso por conversar.
Pra que sirvo senão pra isto,
pra ser vinte e pra ser visto,
pra ser versa e pra ser vice,
pra ser a supersuperfície
onde o verbo vem ser mais?

Não sirvo pra observar.
Verso, persevero e conservo
um susto de quem se perde
no exato lugar onde está.

Onde estará meu verso?
Em algum lugar de um lugar,
onde o avesso do inverso
começa a ver e ficar.
Por mais prosas que eu perverta,
não permita Deus que eu perca
meu jeito de versejar.

narájow

Uma mosca pouse no mapa
e me pouse em Narájow,
a aldeia donde veio
o pai do meu pai,
o que veio fazer a América,
o que vai fazer o contrário,
a Polônia na memória,
o Atlântico na frente,
o Vístula na veia.

Que sabe a mosca da ferida
que a distância faz na carne viva,
quando um navio sai do porto
jogando a última partida?

Onde andou esse mapa
que só agora estende a palma
para receber essa mosca,
que nele cai, matemática?

pergunte ao pó

cresce a vida
cresce o tempo
cresce tudo
e vira sempre
esse momento

cresce o ponto
bem no meio
do amor seu centro
assim como
o que a gente sente
e não diz
cresce dentro

v, de viagem

Viajar me deixa
a alma rasa,
perto de tudo,
longe de casa.

Em casa, estava a vida,
aquela que, na viagem,
viajava, bela
e adormecida.

A vida viajava
mas não viajava eu,
que toda viagem
é feita só de partida.

ler pelo não

Ler pelo não, quem dera!
Em cada ausência, sentir o cheiro forte
do corpo que se foi,
a coisa que se espera.
Ler pelo não, além da letra,
ver, em cada rima vera, a prima pedra,
onde a forma perdida
procura seus etcéteras.
Desler, tresler, contraler,
enlear-se nos ritmos da matéria,
no fora, ver o dentro e, no dentro, o fora,
navegar em direção às Índias
e descobrir a América.

●

Adeus, coisas que nunca tive,
dívidas externas, vaidades terrenas,
lupas de detetive, adeus.
Adeus, plenitudes inesperadas,
sustos, ímpetos e espetáculos, adeus.
Adeus, que lá se vão meus ais.
Um dia, quem sabe, sejam seus,
como um dia foram dos meus pais.
Adeus, mamãe, adeus, papai, adeus,
adeus, meus filhos, quem sabe um dia
todos os filhos serão meus.
Adeus, mundo cruel, fábula de papel,
sopro de vento, torre de babel,
adeus, coisas ao léu, adeus.

•

último aviso

caso alguma coisa me acontecer,
informem a família,
foi assim, assim tinha que ser

tinha que ser dor e dor
esse processo de crescer

tinha que vir dobrado
esse medo de não ser

tinha que ser mistério
esse meu modo de desaparecer

um poema, por exemplo,
caso alguma coisa me suceder,
vá que seja um indício

quem sabe ainda não acabei de escrever

despropósito geral

Esse estranho hábito,
escrever obras-primas,
não me veio rápido.
Custou-me rimas.
Umas, paguei caro,
liras, vidas, preços máximos.
Umas, foi fácil.
Outras, nem falo.
Me lembro duma
que desfiz a socos.
Duas, em suma.
Bati mais um pouco.
Esse estranho abuso,
adquiri, faz séculos.
Aos outros, as músicas.
Eu, senhor, sou todo ecos.

m, de memória

Os livros sabem de cor
milhares de poemas.
Que memória!
Lembrar, assim, vale a pena.
Vale a pena o desperdício,
Ulisses voltou de Troia,
assim como Dante disse,
o céu não vale uma história.
Um dia, o diabo veio
seduzir um doutor Fausto.
Byron era verdadeiro.
Fernando, pessoa, era falso.
Mallarmé era tão pálido,
mais parecia uma página.
Rimbaud se mandou pra África,
Hemingway de miragens.
Os livros sabem de tudo.
Já sabem deste dilema.
Só não sabem que, no fundo,
ler não passa de uma lenda.

até mais

Até tu, matéria bruta,
até tu, madeira, massa e músculo,
vodka, fígado e soluço,
luz de vela, papel, carvão e nuvem,
pedra, carne de abacate, água de chuva,
unha, montanha, ferro em brasa,
até vocês sentem saudade,
queimadura de primeiro grau,
vontade de voltar pra casa?

Argila, esponja, mármore, borracha,
cimento, aço, vidro, vapor, pano e cartilagem,
tinta, cinza, casca de ovo, grão de areia,
primeiro dia de outono, a palavra primavera,
número cinco, o tapa na cara, a rima rica,
a vida nova, a idade média, a força velha,
até tu, minha cara matéria,
lembra quando a gente era apenas uma ideia?

•. .

incenso fosse música

isso de querer
ser exatamente aquilo
que a gente é
ainda vai
nos levar além

•

gardênias e hortênsias
não façam nada
que me lembre
que a este mundo eu pertença

deixem-me pensar
que tudo não passa
de uma terrível coincidência

•

À glória sucede
o que sucede à água:
por mais água que beba,
qual lhe sacia a sede?
Diverso o sucesso,
basta-lhe um verso
para essa desgraça
que se chama dar certo.

•

objeto sujeito

você nunca vai saber
quanto custa uma saudade
o peso agudo no peito
de carregar uma cidade
pelo lado de dentro
como fazer de um verso
um objeto sujeito
como passar do presente
para o pretérito perfeito
nunca saber direito

você nunca vai saber
o que vem depois de sábado
quem sabe um século
muito mais lindo e mais sábio
quem sabe apenas
mais um domingo

você nunca vai saber
e isso é sabedoria
nada que valha a pena
a passagem pra pasárgada
xanadu ou shangrilá
quem sabe a chave
de um poema
e olha lá

poesia: 1970

Tudo o que eu faço
alguém em mim que eu desprezo
sempre acha o máximo.

Mal rabisco,
não dá mais pra mudar nada.
Já é um clássico.

kawa cauim

desarranjos florais

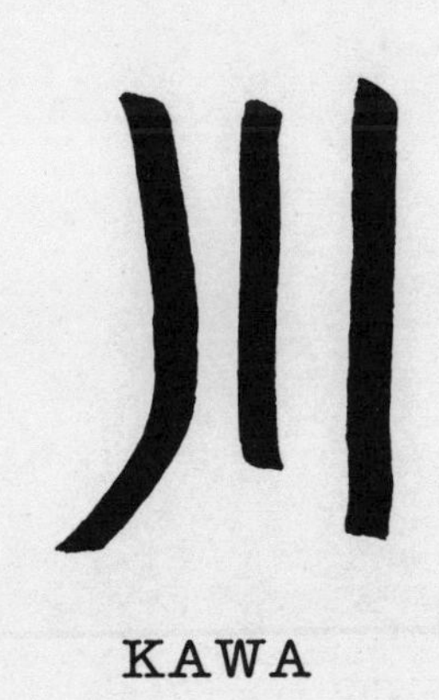

KAWA

O ideograma de *kawa*, “rio” em japonês, pictograma de um fluxo de água corrente, sempre me pareceu representar (na vertical) o esquema do haikai, o sangue dos três versos escorrendo na parede da página...

hai

Eis que nasce completo
e, ao morrer, morre germe,
o desejo, analfabeto,
de saber como reger-me,
ah, saber como me ajeito
para que eu seja quem fui,
eis o que nasce perfeito
e, ao crescer, diminui.

kai

Mínimo templo
para um deus pequeno,
aqui vos guarda,
em vez da dor que peno,
meu extremo anjo de vanguarda.

De que máscara
se gaba sua lástima,
de que vaga
se vangloria sua história,
saiba quem saiba.

A mim me basta
a sombra que se deixa,
o corpo que se afasta.

amei em cheio
meio amei-o
meio não amei-o

•. .

pelos caminhos que ando
um dia vai ser
só não sei quando

:.

meiodia três cores
eu disse vento
e caíram todas as flores

. .•

abrindo um antigo caderno
foi que eu descobri
antigamente eu era eterno

. .

o mar o azul o sábado
liguei pro céu
mas dava sempre ocupado

•

enfim,
nu,
como vim

viu-me,
e passou,
como um filme

era uma vez

o sol nascente
me fecha os olhos
até eu virar japonês

noite sem sono
o cachorro late
um sonho sem dono

rio do mistério
que seria de mim
se me levassem a sério?

choveu
na carta que você mandou

quem mandou?

• •

praias praias sinais
um olhar tão longe
esse olhar ninguém olha
jamais

•

entre os garotos de bicicleta
o primeiro vaga-lume
de mil novecentos e oitenta e sete

• . .

sombras
derrubam
sombras
quando a treva
está madura

sombras
o vento leva
sombra
nenhuma
dura

•

primeiro frio do ano
fui feliz
se não me engano

•

retrato de lado
retrato de frente
de mim me faça
ficar diferente

•

na torre da igreja
o passarinho pausa
pousa assim feito pousasse
o efeito na causa

•

entre
a água
e o chá
desab
rocha
o maracujá

•

ano novo
anos buscando
um ânimo novo

alvorada
alvoroço
troco minha alma
por um almoço

temporal

fazia tempo
que eu não me sentia
tão sentimental

cortinas de seda
o vento entra
sem pedir licença

lua à vista
brilhavas assim
sobre auschwitz?

hoje à noite
lua alta
faltei
e ninguém sentiu
a minha falta

tudo dito,
nada feito,
fito e deito

tarde de vento
até as árvores
querem vir para dentro

tudo claro
ainda não era o dia
era apenas o raio

la vie en close

[1991]

nota do editor

O livro *La vie en close* foi publicado postumamente, em 1991, pela editora Brasiliense. Reúne textos selecionados por Leminski e Alice Ruiz S em 1988, além de alguns poemas que ele escreveu até a sua morte, em 1989, e poemas mais antigos, como "o esplêndido corcel", que integrava o volume *Não fosse isso e era menos não fosse tanto e era quase* (1980). O processo de seleção é descrito em detalhe por Alice no texto que aparece nas orelhas da primeira edição, incluído aqui no apêndice.

l'être avant la lettre

la vie en close

c'est une autre chose

c'est lui

c'est moi

c'est ça

c'est la vie des choses

qui n'ont pas

un autre choix

• . .

um bom poema
leva anos
cinco jogando bola,
mais cinco estudando sânscrito,
seis carregando pedra,
nove namorando a vizinha,
sete levando porrada,
quatro andando sozinho,
três mudando de cidade,
dez trocando de assunto,
uma eternidade, eu e você,
caminhando junto

limites ao léu

POESIA: "words set to music" (Dante via Pound), "uma viagem ao desconhecido" (Maiakóvski), "cernes e medulas" (Ezra Pound), "a fala do infalável" (Goethe), "linguagem voltada para a sua própria materialidade" (Jakobson), "permanente hesitação entre som e sentido" (Paul Valéry), "fundação do ser mediante a palavra" (Heidegger), "a religião original da humanidade" (Novalis), "as melhores palavras na melhor ordem" (Coleridge), "emoção relembrada na tranquilidade" (Wordsworth), "ciência e paixão" (Alfred de Vigny), "se faz com palavras, não com ideias" (Mallarmé), "música que se faz com ideias" (Ricardo Reis/Fernando Pessoa), "um fingimento deveras" (Fernando Pessoa), "criticism of life" (Matthew Arnold), "palavra-coisa" (Sartre), "linguagem em estado de pureza selvagem" (Octavio Paz), "poetry is to inspire" (Bob Dylan), "design de linguagem" (Décio Pignatari), "lo imposible hecho posible" (García Lorca), aquilo que se perde na tradução" (Robert Frost), "a liberdade da minha linguagem" (Paulo Leminski)...

A quem me queima
e, queimando, reina,
valha esta teima.
Um dia, melhor me queira.

ouverture la vie en close

em latim
"porta" se diz "janua"
e "janela" se diz "fenestra"

a palavra "fenestra"
não veio para o português
mas veio o diminutivo de "janua",
"januela", "portinha",
que deu nossa "janela"
"fenestra" veio
mas não como esse ponto da casa
que olha o mundo lá fora,
de "fenestra", veio "fresta",
o que é coisa bem diversa

já em inglês
"janela" se diz "window"
porque por ela entra
o vento ("wind") frio do norte
a menos que a fechemos
como quem abre
o grande dicionário etimológico
dos espaços interiores

e ver-te
verde vênus
doendo
no beiracéu
é ver-nos
em puro sonho
onde
ver-te, vida,
é alto ver
através de um véu

•. .

estupor

esse súbito não ter
esse estúpido querer
que me leva a duvidar
quando eu devia crer

esse sentir-se cair
quando não existe lugar
aonde se possa ir

esse pegar ou largar
essa poesia vulgar
que não me deixa mentir

•

que pode ser aquilo,
lonjura, no azul, tranquila?

se nuvem, por que perdura?
montanha,
como vacila?

curitibas

Conheço esta cidade
como a palma da minha pica.
Sei onde o palácio
sei onde a fonte fica,

Só não sei da saudade
a fina flor que fabrica.
Ser, eu sei. Quem sabe,
esta cidade me significa.

como abater uma nuvem a tiros

sirenes, bares em chamas,
carros se chocando,
a noite me chama,
a coisa escrita em sangue
nas paredes das danceterias
e dos hospitais,
os poemas incompletos
e o vermelho sempre verde dos sinais

sintonia para pressa e presságio

Escrevia no espaço.
Hoje, grafo no tempo,
na pele, na palma, na pétala,
luz do momento.
Soo na dúvida que separa
o silêncio de quem grita
do escândalo que cala,
no tempo, distância, praça,
que a pausa, asa, leva
para ir do percalço ao espasmo.

Eis a voz, eis o deus, eis a fala,
eis que a luz se acendeu na casa
e não cabe mais na sala.

operação de vista

De uma noite, vim.
Para uma noite, vamos,
uma rosa de Guimarães
nos ramos de Graciliano.

Finnegans Wake à direita,
un coup de dés à esquerda,
que coisa pode ser feita
que não seja pura perda?

sigilo de fonte

Quem há de dizer das linhas
que as ondas armem e não armem?
Quem há de dizer das flâmulas,
lágrimas acesas, tantas lâmpadas,
milagres, passando rápidas?
Diga você, já que se sabe
que nem tudo na água é margem,
nem tudo é motivo de escândalo,
nem tudo me diz eu te amo,
nem tudo na terra é miragem.

Signos, sonhos, sombras, imagens,
ninguém vai nunca saber
quantas mensagens nos trazem.

lá vai um homem sozinho

o que ele pensa da noite
eu não sei
apenas adivinho

pensa o que pensa
todo mundo indo

um dia
eu já tive vizinho

acidente no km 19

algo em mim se esvai
coisa que se escoa

seria a água da vida
seria outra coisa boa
tão boa que não tem vida
em que esta vida não doa?

hora em que a voz do amor
como a voz do amor não ecoa?

mais ou menos em ponto

Condenado a ser exato,
quem dera poder ser vago,
fogo-fátuo sobre um lago,
ludibriando igualmente
quem voa, quem nada, quem mente,
mosquito, sapo, serpente.

Condenado a ser exato
por um tempo escasso,
um tempo sem tempo
como se fosse o espaço,
exato me surpreendo,
losango, metro, compasso,
o que não quero, querendo.

sete assuntos por segundo

Ut pictura, poesis...
Horácio

Para que serve a pintura
a não ser quando apresenta
precisamente a procura
daquilo que mais aparenta,
quando ministra quarenta
enigmas vezes setenta?

    sossegue coração
ainda não é agora
    a confusão prossegue
sonhos a fora

    calma calma
logo mais a gente goza
    perto do osso
a carne é mais gostosa

    lá fora e no alto
o céu fazia
    todas as estrelas que podia

    na cozinha
debaixo da lâmpada
    minha mãe escolhia
feijão e arroz
    andrômeda para cá
altair para lá
    sirius para cá
estrela dalva para lá

(aus)

simples
como um sim
é simples
mente
a coisa
mais simples
que ex
iste
assim
ples
mente
de mim
me dispo
des
(aus)
ente

•

atrasos do acaso
cuidados
que não quero mais

o que era pra vir
veio tarde
e essa tarde não sabe
do que o acaso é capaz

surpresa de ser
tão solta e tão presa
    a noite dá meiavolta
e volta a ser nossa
    toda a beleza que possa

motim de mim (1968-1988)

    xx anos de xis,
xx anos de xerox,
    xx anos de xadrez,
não busquei o sucesso,
    não busquei o fracasso,
busquei o acaso,
    esse deus que eu desfaço.

sete dias na vida de uma luz

durante sete noites
uma luz transformou
a dor em dia
uma luz que eu não sabia
se vinha comigo
ou nascia sozinha

durante sete dias
uma luz brilhou
na ala dos queimados
queimou a dor
queimou a falta
queimou tudo
que precisava ser cauterizado

milagre além do pecado
que sentido pode ter
mais significado?

Hospital S. Vicente
Ala dos Queimados
Curitiba, outubro de 1987

com quantos paulos

paulos paulos paulos
quantos paulos são preciso
para fazer um são paulo?

idades idades idades
quanto dá uma alma
dividida por duas cidades?

vez como aquela
só mesmo a primeira
mal cheguei a chorar
uma lágrima inteira

largue uma lágrima
o primeiro que viu
o luar de janeiro
é primeiro de abril

in honore ordinis sancti benedicti

à ordem de são bento
a ordem que sabe
que o fogo é lento
e está aqui fora
a ordem que vai dentro

a ordem sabe
que tudo é santo
a hora a cor a água
o canto o incenso o silêncio
e no interior do mais pequeno
abre-se profundo
a flor do espaço mais imenso

ímpar ou ímpar

Pouco rimo tanto com faz.
Rimo logo ando com quando,
mirando menos com mais.
Rimo, rimas, miras, rimos,
como se todos rimássemos,
como se todos nós ríssemos,
se amar (rimar) fosse fácil.

Vida, coisa pra ser dita,
como é fita este fado que me mata.
Mal o digo, já meu siso se conflita
com a cisma que, infinita, me dilata.

alguém parado
é sempre suspeito
de trazer como eu trago
um susto preso no peito,
um prazo, um prazer, um estrago,
um de qualquer jeito,
sujeito a ser tragado
pelo primeiro que passar

parar dá azar

quem sai aos seus

vozes a mais
vozes a menos
a máquina em nós
que gera provérbios
é a mesma que faz poemas,
somas com vida própria
que podem mais que podemos

suprassumos da quintessência

O papel é curto.
Viver é comprido.
Oculto ou ambíguo,
Tudo o que digo
tem ultrassentido

Se rio de mim,
me levem a sério.
Ironia estéril?
Vai nesse ínterim,
meu inframistério.

•

Andar e pensar um pouco,
que só sei pensar andando.
Três passos, e minhas pernas
já estão pensando.

Aonde vão dar estes passos?
Acima, abaixo?
Além? Ou acaso
se desfazem ao mínimo vento
sem deixar nenhum traço?

•

você está tão longe
que às vezes penso
que nem existo

nem fale em amor
que amor é isto

cine luz

o cine tua sina
o filme FEEL ME
signema
me segure firme

cine me ensine
a ser sim
e a ser senda

vezes sem conta tenho vontade
de que nada mude
meiavoltavolver
mudar é tudo que pude

este mundo está perdido
disperso entre o escrito
e o espírito ruído
entre o físico e o químico
flui o sentido, líquido

viver é grande
porque eu sinto tua falta
já que arrasto por aí
esse falso ainda
minha alma torta
e a falta faz que vai
mas volta
no meio da ida e da vinda

estrelas fixas

Aqui sentiram centenas
as penas que lhes convêm.
Sentindo cena por cena,
alguém lembrou de um poema
que lhe lembrava de alguém.

Rimas mil girem vertigens,
sinto medos de existir.
Estes versos existirem,
já não preciso sentir.

round about midnight

um vulto suspeito
e o pulo de um susto
à solta no peito

no beco sem saída
caminhos a esmo
o leque de abismos
entre um eco
e seus mesmos

erra uma vez

nunca cometo o mesmo erro
duas vezes
já cometo duas três
quatro cinco seis
até esse erro aprender
que só o erro tem vez

Quem dera eu fosse um músico
que só tocasse os clássicos,
a plateia chorando
e eu contando os compassos.
Se eu soubesse agora,
como eu soube antes,
a dança alegórica
entre as vogais e as consoantes!

Senhor que prometestes
a vida eterna aos filhos de São Bento
obrigado pelos invernos ao vento
e pelo invento do inferno
ainda aqui nesta terra

rumo ao sumo

Disfarça, tem gente olhando.
Uns, olham pro alto,
cometas, luas, galáxias.
Outros, olham de banda,
lunetas, luares, sintaxes.
De frente ou de lado,
sempre tem gente olhando,
olhando ou sendo olhado.

Outros olham para baixo,
procurando algum vestígio
do tempo que a gente acha,
em busca do espaço perdido.
Raros olham para dentro,
já que dentro não tem nada.
Apenas um peso imenso,
a alma, esse conto de fada.

transpenumbra

tempestade
que passasse
deixando intactas as pétalas
você passou por mim
as tuas asas abertas
passou
mas sinto ainda uma dor
no ponto exato do corpo
onde tua sombra tocou
que raio de dor é essa
que quanto mais dói
mais sai sol?

•

página ó página casa materna
onde encontro sempre espanto
o mesmo sempre manso branco
quando penetro numa caverna

textos textos textos

malditas placas fenícias
cobertas de riscos rabiscos
como me deixastes os olhos piscos
a mente torta de malícias
ciscos

• •

pedaço de prazer
perdido
num canto do quarto escuro
inferno paraíso
vivo ou morto
te procuro

•

veloz
como a própria voz
elo e duelo
entre eu e ela
virando e revirando nós

•

o esplêndido corcel
vê a sombra do chicote
e corre, esplendores do cavalo
em labirintos de crina
incentivado pelo vento
cancela espaços de quimera
consumindo o tempo
pira que heróis incinera
tinha ímpetos de céu
e sofreguidão sobre o mar
as campinas cerúleas do polo
o céu pele de onça
e slides do zodíaco
as campinas dolorosas do pélago
onde pascem peixes
e o nó dos polvos chacina o sol
Aqui a fábula falha
no enjoo do jogar das ondas
fere os cascos nas estrelas
e picado pelos gumes
das feras do horóscopo
turva-se um pouco
cai a vigília no sonho
lúcido e súbito já que mártir
Fica na terra, cavalo
o olho cheio de estrelas
o corpo palhaço das ondas
e o coração no peito
feito um pião dormindo!

quem chega tarde
deve andar devagar
andar como quem parte
para nenhum lugar

vida que me venta
sina que me brisa
só te inventa
quem te precisa

om/ zaúm p/ roman óssipovitch jákobson

EU

O mundo desabava em tua volta,
e tu buscavas a alma que se esconde
no coração da sílaba SIM.
Consoante? Vogal? Um trem para Oslo.
Pares, contrastes, Moscous, línguas transmentais.
Na noite nórdica, um rabino, viking,
sonha um céu de oclusivas e bilabiais.

RO

Um mundo, o velho mundo, árvore no outono,
Hitler entra em Praga, Rússia, revolútzia,
até nunca mais!
A lábiavelar tcheca
só vai até os montes Urais.

PA

Roma, Rôman, romântico romã,
Jak, Jákob, Jákobson, filho de Jacó,
preservar as palavras dos homens.
Enquanto houver um fonema,
eu nunca vou estar só.

as coisas
não começam
com um conto
nem acabam com um •

•. .

donna mi priega 88

se amor é troca
ou entrega louca
discutem os sábios
entre os pequenos
e os grandes lábios

no primeiro caso
onde começa o acaso
e onde acaba o propósito
se tudo o que fazemos
é menos que amor
mas ainda não é ódio?

a tese segunda
evapora em pergunta
que entrega é tão louca
que toda espera é pouca?
qual dos cinco mil sentidos
está livre de mal-entendidos?

:.

não se esqueça de parecer comigo

    isso não estava aqui ontem
ontem era um dia pobre, metade,
    mendigando ouro
à mísera eternidade

    hoje é um dia rico
um mundo cheio de luz e lágrima
    força flor milagre e risco

    o dia de hoje se olha no espelho
e só parece ontem
    a mesma brisa a bruma idêntica
e essa neblina intensa
    que nos obriga a fechar os olhos
e ler nas entrelinhas
    os abismos de nós mesmos
    hoje, sim, é maravilha,
hoje, finalmente, eu não sei

dia das mães/1988

•

R
(anos-luz, anos-treva)

Ler, ver,
e entre o V e o L
entrever aquele
R
erre
que me (rêve) revele

⁘

Ler trevas. Nas letras, ler tudo o que de ler não te atrevas. Ler mais. Ler além. Além do bem. Além do mal. Além do além. Horas extras ou etcéteras, adeus, amém. Busquem outros a velocidade da luz. Eu busco a velocidade da treva.

tout est déjà dit
dans un jardin
                              jadis

fernando uma pessoa
j’ai perdu ma vie

par delicatesse?
oui
      rimbaud
moi
      aussi

blade runner waltz

Em mil novecentos e oitenta e sempre,
ah, que tempos aqueles,
dançamos ao luar, ao som da valsa
A Perfeição do Amor Através da Dor e da Renúncia,
nome, confesso, um pouco longo,
mas os tempos, aquele tempo,
ah, não se faz mais tempo
como antigamente.
Aquilo sim é que eram horas,
dias enormes, semanas anos, minutos milênios,
e toda aquela fortuna em tempo
a gente gastava em bobagens,
amar, sonhar, dançar ao som da valsa,
aquelas falsas valsas de tão imenso nome lento
que a gente dançava em algum setembro
daqueles mil novecentos e oitenta e sempre.

Tudo é vago e muito vário,
meu destino não tem siso,
o que eu quero não tem preço,
ter um preço é necessário,
e nada disso é preciso

voyage au bout de la nuit

o peito ensanguentado de verdades
rolo na rua esta cabeça calva e cega
não serve mais ao diabo que a carrega

•

ópera fantasma

Nada tenho.
Nada me pode ser tirado.
Eu sou o ex-estranho,
o que veio sem ser chamado
e, gato, se foi
sem fazer nenhum ruído.

•

profissão de febre

quando chove,
eu chovo,
faz sol,
eu faço,
de noite,
anoiteço,
tem deus,
eu rezo,
não tem,
esqueço,
chove de novo,
de novo, chovo,
assobio no vento,
daqui me vejo,
lá vou eu,
gesto no movimento

Sete e dez.
Aqui jaz o sol,
sombra a meus pés.

Trevas.
Que mais pode ler
um poeta que se preza?

água em água

pedirem um milagre
nem pisco
transformo água em água
e risco em risco

Esta vida de eremita
é, às vezes, bem vazia.
Às vezes, tem visita.
Às vezes, apenas esfria.

ao pé da pena

todo sujo de tinta
o escriba volta pra casa
cabeça cheia de frases alheias
frases feitas
letras feias
linhas lindas
a pele queima
as palavras esquecidas
formas formigas
todas as palavras da tribo

por elas
trocou a vida
dias luzes madrugadas
hoje
quando volta pra casa
página em branco e em brasa
asa lá se vai
dá de cara com nada
com tudo dentro
sai

alvorada em alfa

todo o peso
com que me meço
vejo e invejo
e neste largo ver
me largo vendo
até não mais poder
descompreendendo

o que vi
foi puro e longo ver

quem vi
ver verá
só o que vira
virá
e no que ver
virará

o bicho alfabeto
tem vinte e três patas
ou quase

por onde ele passa
nascem palavras
e frases

com frases
se fazem asas
palavras
o vento leve

o bicho alfabeto
passa
fica o que não se escreve

um homem com uma dor
é muito mais elegante
caminha assim de lado
como se chegando atrasado
andasse mais adiante

carrega o peso da dor
como se portasse medalhas
uma coroa um milhão de dólares
ou coisa que os valha

ópios édens analgésicos
não me toquem nessa dor
ela é tudo que me sobra
sofrer vai ser minha última obra

●

tibagi

presa no tempo
a lua
lá
como se para sempre

o verde
ali
cumprindo seu dever

ser verde
até não mais poder

abaixo o além

de dia
céu com nuvens
ou céu sem

de noite
não tendo nuvens
estrela
sempre tem

quem me dera
um céu vazio
azul isento
de sentimento
e de cio

• •

isso sim me assombra e deslumbra
como é que o som penetra na sombra
e a pena sai da penumbra?

•

A morte, a gente comemora.
No meu peito, cai a Roma,
que, caída embora,
nenhum bárbaro doma.

As romãs que assim tivermos
e os esplendores da pessoa,
a impropriedade dos termos,
a quem doer, doa.

o ex-estranho

passageiro solitário
o coração como alvo,
sempre o mesmo, ora vário,
aponta a seta, sagitário,
para o centro da galáxia

o que passou passou?

Antigamente, se morria.
1907, digamos, aquilo sim
é que era morrer.
Morria gente todo dia,
e morria com muito prazer,
já que todo mundo sabia
que o Juízo, afinal, viria,
e todo mundo ia renascer.
Morria-se praticamente de tudo.
De doença, de parto, de tosse.
E ainda se morria de amor,
como se amar morte fosse.
Pra morrer, bastava um susto,
um lenço no vento, um suspiro e pronto,
lá se ia nosso defunto
para a terra dos pés juntos.
Dia de anos, casamento, batizado,
morrer era um tipo de festa,
uma das coisas da vida,
como ser ou não ser convidado.
O escândalo era de praxe.
Mas os danos eram pequenos.
Descansou. Partiu. Deus o tenha.
Sempre alguém tinha uma frase
que deixava aquilo mais ou menos.
Tinha coisas que matavam na certa.
Pepino com leite, vento encanado,
praga de velha e amor mal curado.
Tinha coisas que tem que morrer,
tinha coisas que tem que matar.
A honra, a terra e o sangue
mandou muita gente praquele lugar.

Que mais podia um velho fazer,
nos idos de 1916,
a não ser pegar pneumonia,
deixar tudo para os filhos
e virar fotografia?
Ninguém vivia pra sempre.
Afinal, a vida é um upa.
Não deu pra ir mais além.
Mas ninguém tem culpa.
Quem mandou não ser devoto
de Santo Inácio de Acapulco,
Menino Jesus de Praga?
O diabo anda solto.
Aqui se faz, aqui se paga.
Almoçou e fez a barba,
tomou banho e foi no vento.
Não tem o que reclamar.
Agora, vamos ao testamento.
Hoje, a morte está difícil.
Tem recursos, tem asilos, tem remédios.
Agora, a morte tem limites.
E, em caso de necessidade,
a ciência da eternidade
inventou a criônica.
Hoje, sim, pessoal, a vida é crônica.

lápide 1
epitáfio para o corpo

Aqui jaz um grande poeta.
Nada deixou escrito.
Este silêncio, acredito,
são suas obras completas.

•

lápide 2
epitáfio para a alma

aqui jaz um artista
mestre em desastres

viver
com a intensidade da arte
levou-o ao infarte

deus tenha pena
dos seus disfarces

•

minha memória evapore
feito a água
de uma lágrima

minha lembrança se vá
sem deixar lembrança alguma
em seu devido lugar

se um dia eu esquecer
que você nunca me esquecerá

•

desmantelar
a máquina do amor
peça por peça
onde luzia flor e flor
não deixar nem promessa
isso sim eu faria
se pudesse
transformar em pedra fria
minha prece

•

amarga mágua
o pobre pranto tem

por que cargas-d'água
chove tanto
e você não vem?

•

minioração fúnebre para rené descartes

*Bene vixit qui bene latuit**

Repousa sob a laje
o que viveu oculto.
Poupem-no do ultraje
do tumulto.

. . •

a quem
interessa
esse
além
sem pressa
?

a mim
este
aquém

o
além
a
quem
interessar
possa

. .

* "Bem viveu quem viveu oculto", lema de Descartes. (N. A.)

podia passar
a vida inteira assim
olhando a lua
a boca cheia de luz
e na cabeça nem sombra
da palavra glória

•

extra

precisa surpresa
a brisa passa e me deixa acesa
asa que não soube ser estrela
cena que não reprisa
fala desfeita em reza
rosa fervida em mel

sobrenoite alémfloresta
aquela estrela é uma fresta
por onde vejo nascer
um novo céu

•

um dia sobre nós também
vai cair o esquecimento
como a chuva no telhado
e sermos esquecidos
será quase a felicidade

•

luto por mim mesmo

    a luz se põe
em cada átomo do universo
    noite absoluta
desse mal a gente adoece
    como se cada átomo doesse
como se fosse esta a última luta

    o estilo desta dor
é clássico
    dói nos lugares certos
sem deixar rastos
    dói longe   dói perto
sem deixar restos
    dói nos himalaias, nos interstícios
e nos países baixos

    uma dor que goza
como se doer fosse poesia
    já que tudo mais é prosa

Faça os gestos certos,
o destino vai ser teu aliado,
ouço uma voz dizendo
do fundo mais fundo do passado.
Hoje, não faço nada direito,
que é preciso muito mais peito
pra fazer tudo de qualquer jeito.

Ai do acaso,
se não ficar do meu lado.

travelling life

(*para Bere*)

é como se fosse uma guerra
onde o mau cabrito briga
e o bom cabrito não berra

é como se fosse uma terra
estrangeira até pra ela
como se fosse uma tela
onde cada filme que passa
toda imagem congela

é como se fosse a fera
que a cada dia que roda e rola
mais e mais se revela

amor bastante

quando eu vi você
tive uma ideia brilhante
foi como se eu olhasse
de dentro de um diamante
e meu olho ganhasse
mil faces num só instante

basta um instante
e você tem amor bastante

luz versus luz

        de ilusão em ilusão
até a desilusão
        é um passo sem solução
um abraço

                    um abismo
               um
                    soluço
    adeus a tudo que é bom

quem parece são não é
        e os que não parecem são

matar, a forma mais alta de amar,
matar em nós a vontade de matar,
voltar a matar a vontade,
matar, sempre, matar,
mesmo que, para isso,
seja preciso todo o nosso amar

●

vezes versus reveses

um flash back
um flash back dentro de um flash back
um flash back dentro de um flash back de
um flash back
um flash back dentro do terceiro flash back
a memória cai dentro da memória
pedraflor na água lisa
tudo cansa (flash back)
menos a lembrança da lembrança da lembrança
da lembrança

•

haja
hoje
p/
tanto
hontem

p. l.

só
o
ex
isto
ex
ist

pleminski
88

obra

cobra
dobra
manobra
obra
sobra
V. a f. dos v. em
obrar: *desdobra*.

vertente

tente
ver
tente
ver
tanto
até
nada
a
ver
a
não
ser
espanto

anfíbios

a pena chama	a chama vela a pena chama a vela pena	a chama traça a vela a traça vela a pena	a traça vara a parte lança a chama parte	a lança vara a chama traça a vara vela
a dura dita chama a pena dura	a vela sua a chama vela a sua chama	a dita dura vela a dura vara	a pena pára para para para	a chama pena

não espere mil agres
neste meu acre ditar
dito só porque disto
mil línguas deste lugar

cai

kawásu

"Kawásu" é "sapo", em japonês. Imagino ter relação original com "kawa", "rio". O batráquio é o animal totêmico do haikai, desde aquele memorável momento em que Mestre Bashô flagrou, quando um sapo "tobikômu" ("salta-entra") no velho tanque, o som da água.

mallarmé bashô

um salto de sapo
jamais abolirá
o velho poço

•

cinco bares, dez conhaques
atravesso são paulo
dormindo dentro de um táxi

• . .

esse voo
ao vento que mais dói
eu doo

:.

beijo com gosto
de peixe-espada
lá longe
a água deve estar gelada

•

escurece
cresce tudo
que carece

•

o castelo
que o general conquistar não pôde
a sombra das árvores da tarde
pode

•

ver é violento

que golpe
aplicar no vento?

•

saber é pouco

como é que a água do mar
entra dentro do coco?

•

cemitério municipal
reina a paz e a calma
em todo o território nacional

brisa quente
quem te precisa
pressente

essa estrada vai longe
mas se for
vai fazer muita falta

que será
que tem lá embaixo
que a pedra tomba
tão fácil?

coisas do vento
a rede balança
sem ninguém dentro

estrela cadente eu olho
o céu partiu
para uma carreira solo

quem me dera
até para a flor no vaso
um dia chega a primavera

vazio agudo

ando meio

cheio de tudo

fruto suspenso
a que susto
pertenço?

tudo dança
hospedado numa casa
em mudança

dia cinzento
assim me levanto
assim me sento

sobressalto
esse desenho abstrato
minha sombra no asfalto

novas telhas
à primeira chuva
a nova goteira

amar é um elo
entre o azul
e o amarelo

•

velhas fotos
velha e revelha
uma flor de lótus

•

longo o caminho até o céu
essa minha alma vagabunda
com gosto de quarto de hotel

•

insular

mil milhas de treva
cercadas de mágua
por todos os fados

•

morreu o periquito
a gaiola vazia
esconde um grito

esta vida é uma viagem
pena eu estar
só de passagem

longo o caminho
até uma flor
só de espinho

arisco asco
a partir de ti refaço
uma alma em pedaços

dia sem senso
acendo o cigarro
no incenso

que faz

o cruzeiro do sul

tão baixo?

as luzes da minha rua

eu acho

vertigo
ver te
comigo

nadando num mar de gente
deixei lá atrás
meu passo à frente

o dia é um escombro
o voo das pombas
sobre as próprias sombras

inverno
é tudo o que sinto
viver
é sucinto

que dia é hoje?
um dia, eu soube
hoje me foge

do espanto ao esperanto
através do ex-pranto
lá se vai meu por enquanto

noite alta   lua baixa
pergunte ao sapo
o que ele coaxa

primavera de problemas
a luz das flores grandes
assombra as flores pequenas

lua crescente
o escuro cresce
a estrela sente

completa a obra
o vento sopra
e o tempo sobra

pôr de sol pingo de sangue
a flor cheiro de mel na água cor de leite
acorda o peixe
sonho de fósforo

para fazer uma teia num minuto
a aranha cobra pouco
apenas um mosquito

nu como um grego
ouço um músico negro
e me desagrego

muito romântico
meu ponto pacífico
fica no atlântico

believe it or not
this very if
is everything you got

a noite — enorme
tudo dorme
menos teu nome

o corvo nada em ouro
nem o céu estraga o voo
nem o voo dana o céu

chove no orvalho
a chave na porta
como uma flor no galho

feliz a lesma de maio
um dia de chuva
como presente de aniversário

nem vem que não tem
nenhum navio ou trem
me leva a outrem

entendo
mas não entendo
o que estou entendendo

— que tudo se foda,
disse ela,
e se fodeu toda

tatami-o ou deite-o

de colchão em colchão
chego à conclusão
meu lar é no chão

madrugada   bar aberto
deve haver algum engano
por perto

antes é antigo
chove vinho
sobre um campo de trigo

meianoite
o silêncio tine
a sombra vira cena
o sonho vira cine

celeumas   luas
onde se lê uma
leiam-se duas

essa a vida que eu quero,
querida

encostar na minha
a tua ferida

estrela   sozinha
de repente   uma voz
falando dentro da minha

tão doce, tão cedo,
tão já
tudo de novo vira começo

vi vidas, vi mortes,
nada vi que se medisse
com o azar que tive
ao ter você, minha sorte

de vez em quando
ando ando ando
a voz ecoando
quando quando quando

lua limpa
à beira do abismo
todas as coisas são simples

Fiz um trato com meu corpo.
Nunca fique doente.
Quando você quiser morrer,
eu deixo.

vida e morte
amor e dúvida
dor e sorte

quem for louco
que volte

acabou a farra
formigas mascam
restos da cigarra

•

acabo como começo
canções de fracasso
não fazem mais sucesso

•

são não

não são
são não
rogai por nós
para que não
sejamos senão

•

minha alma breve breve
o elemento mais leve
na tabela de mendeleiev

•

essa ideia
ninguém me tira
matéria é mentira

•

o ex-estranho

[1996]

nota do editor

Livro póstumo com seleção e organização de Alice Ruiz S e Áurea Leminski, *O ex-estranho* foi publicado pela editora Iluminuras em 1996, em coedição com a Fundação Cultural de Curitiba. A primeira seção, homônima, traz poemas inéditos que o poeta deixou em um envelope junto com uma breve introdução sugestiva do título (dois poemas, apenas, não são totalmente inéditos, pois já apareceram em *La vie en close*, embora não fossem, ainda, definitivos: "johnny b. good" e "Trevas."); a segunda seção, "Parte de AM/OR", compõe-se de poemas também inéditos que ele e Alice fizeram um para o outro e guardaram em uma pasta de mesmo nome.

O processo de composição de *O ex-estranho* é descrito em detalhe na apresentação de Alice à primeira edição, que foi incluída no apêndice deste volume. O texto que aparecia nas orelhas, escrito por Wilson Bueno, também consta do apêndice.

o ex-estranho

Este livro de poemas, que ia se chamar *O ex-estranho*, expressa, na maior parte de seus poemas, uma vivência de despaisamento, o desconforto do *not-belonging*, o mal-estar do fora de foco, os mais modernos dos sentimentos. Nisso, cifra-se, talvez, sua única modernidade.

p. leminski

invernáculo (3)

Esta língua não é minha,
qualquer um percebe.
Quando o sentido caminha,
a palavra permanece.
Quem sabe mal digo mentiras,
vai ver que só minto verdades.
Assim me falo, eu, mínima,
quem sabe, eu sinto, mal sabe.
Esta não é minha língua.
A língua que eu falo trava
uma canção longínqua,
a voz, além, nem palavra.
O dialeto que se usa
à margem esquerda da frase,
eis a fala que me lusa,
eu, meio, eu dentro, eu, quase.

•

Já disse de nós.
Já disse de mim.
Já disse do mundo.
Já disse agora,
eu que já disse nunca.
Todo mundo sabe,
eu já disse muito.

Tenho a impressão
que já disse tudo.
E tudo foi tão de repente.

desastre de uma ideia
só o durante dura
aquilo que o dia adiante adia

estranhas formas assume a vida
quando eu como tudo que me convida
e coisa alguma me sacia

formas estranhas assume a fome
quando o dia é desordem
e meu sonho dorme

fome da china   fome da índia
fome que ainda não tomou cor
essa fúria que quer
seja lá o que flor

rimo e rimos

Passarinho parnasiano,
nunca rimo tanto como faz.
Rimo logo ando com quando,
mirando menos com mais.
Rimo, rimo, miras, rimos,
como se todos rimássemos,
como se todos nós ríssemos,
se amar fosse fácil.

Perguntarem por que rimo tanto,
responder que rima é coisa rara.
O raro, rarefeitamente, para,
como para, sem raiva, qualquer canto.
Rimar é parar, parar para ver e escutar
remexer lá no fundo do búzio
aquele murmúrio inconcluso,
Pompeia, ideia, Vesúvio,
o mar que só fala do mar.

Vida, coisa pra ser dita,
como é dita este fado que me mata.
Mal o digo e já meu dito se conflita
com toda a cisma que, maldita, me maltrata.

•..

sei lá

vai pela sombra, firme,
o desejo desespero de voltar
antes mesmo de ir-me
antes de cometer o crime,
me transformar em outro
ou em outro transformar-me
quem sabe obra de arte,
talvez, sei lá, falso alarme,
grito caindo no poço,
neste pouco poço nada vejo nem ouço,
mais mais mais
cada vez menos

poder isso, sinto, é tudo que posso,
o tão pouco tudo que podemos

leite, leitura,
letras, literatura,
tudo o que passa,
tudo o que dura
tudo o que duramente passa
tudo o que passageiramente dura
tudo, tudo, tudo,
não passa de caricatura
de você, minha amargura
de ver que viver não tem cura

o barulho do serrote
o barulho de quem lava roupa
parecem o choro de quem chora
uma vida pouca
parece até que está na hora
de levantar
e ver que a vida
nunca vai ser outra

Redonda. Não, nunca vai ser redonda
essa louca vida minha
essa minha vida quadrada,
quadra, quadrinha,
não, nada,
essa vida não vai ser minha.

Vida quebrada ao meio,
você nunca disse a que veio.

no instante do entanto

diga minha poesia
e esqueça-me se for capaz
siga e depois me diga
quem ganhou aquela briga
entre o quanto e o tanto faz

olinda wischral

pessoas deviam poder evaporar
quando quisessem
não deixar por aí
lembranças pedaços carcaças
gotas de sangue caveiras esqueletos
e esses apertos no coração
que não me deixam dormir

take p/ bere

foi tudo muito súbito
tudo muito susto
tudo assim como a resposta
fica quando chega a pergunta

esse isso meio assunto
que é quando a gente está longe
e continua junto

feliz coincidência

qualquer coincidência
é mera semelhança
enquanto o quixote pensa
sancho coça a sancha pança

todas as coisas sejam iguais
que o vermelho seja verde
o azul seja amarelo
e sempre seja nunca mais

este planeta, às vezes, cansa,
almas pretas com suas caras brancas
suas noites de briga braba,
sujas tardes de água mansa,
minutos de luz e pavor

casa cheia de doce,
ondas tinindo de dor,
acabou-se o que era amargo,
pisar este planeta
como quem esmaga uma flor

•

misto de tédio e mistério
meio dia/meio termo
incerto ver nesse inverno
medo que a noite tem
que o dia acorde mais cedo
e seja eterno o amanhecer

•

azuis como os sorrisos das crianças
e pesados como os provérbios das velhas
anos cultivei a ideia do poema,
coisa inteira, ovo, ânsia e antena,
meus poemas são ideias
ontem, coisa inteira, hoje, apenas manchas

•

meu eu brasileiro

quisera poder pensar
como se faz no velho mundo
eles me querem espelho
como se não tivesse mistério
essa minha falta de assunto

para umas noites que andam fazendo

deixe eu abrir a porta
quero ver se a noite vai bem

quem sabe a lua lua
ou nos sonhos crianças
sombras murmuram amém

deixa ver quem some antes
a nuvem a estrela ou ninguém

nunca sei ao certo
se sou um menino de dúvidas
ou um homem de fé

certezas o vento leva
só dúvidas continuam de pé

●

tamanho momento

nossa senhora da luz
ouro do rio belém
que seja eterno este dia
enquanto a sombra não vem

●●

a todos os que me amam
ou me amaram um dia
deixo apenas um padre-nosso
meio malpassado
e essa espécie de ave maresia

∴

hieróglifo

Todas as coisas estão aí
para nos iluminar.
Discípulo pronto,
o mestre aparece,
imediatamente,
sob a forma de bicho,
sob a sombra de hino,
sob o vulgo de gente
como num livro, devagar.

Mestre presente,
a gente costuma hesitar,
nem se sabe se o bicho sente
o que sente a gente
quando para de pensar.

hexagrama 65

Nenhuma dor pelo dano.
Todo dano é bendito.
Do ano mais maligno,
nasce o dia mais bonito.

1 dia,
1 mês, 1
ano.
/

•

dioniso ares afrodite

aos deuses mais cruéis

juventude eterna

eles nos dão de beber

na mesma taça

o vinho, o sangue e o esperma

•

de tertulia poetarum

de tortura militum
libera nos domine
de nocte infinita
libera nos domine
de morte nocturna
libera nos domine

amar: armas debaixo do altar

para frei betto e frei leonardo boff

santa é a gente
quando lá fora faz frio
e aqui dentro está quente
— entre! Digo eu,
hora de ser igual,
hora de ser diferente,
entre você e entre

sacro lavoro

as mãos que escrevem isto
um dia iam ser de sacerdote
transformando o pão e o vinho forte
na carne e sangue de cristo

hoje transformam palavras
num misto entre o óbvio e o nunca visto

O que o amanhã não sabe,
o ontem não soube.
Nada que não seja o hoje
jamais houve.

datilografando este texto

ler se lê nos dedos
não nos olhos
que olhos são mais dados
a segredos

mil e uma noites até babel

Torre
cujo tombo
virou lenda,
até hoje,
a sombra,
como um membro,
lembra.

johnny b. good

tem vezes que tenho vontade
de que nada mude
vou ver
mudar é tudo que pude

morar bem
morar longe
morar lá onde
mora meu
mais distante quando

twisted tongue (2)

my ears
can't believe my eyes

the water falls
bet the fire
flies

por mais que eu ande
nada em mim imagina
o que é que menina
tão pequena está fazendo
numa cidade tão grande

acordei e me olhei no espelho
ainda a tempo de ver
meu sonho virar pesadelo

arte que te abriga arte que te habita
arte que te falta arte que te imita
arte que te modela arte que te medita
arte que te mora arte que te mura
arte que te todo arte que te parte
arte que te torto ARTE QUE TE TURA

carne alma
forma conteúdo
sobre nós
a sombra de tudo

S. O. S.

não houve sim que eu dissesse
que não fosse o começo
de um esse o esse

re
mortas
eras remotas
mil
&
uma
portas

só
lamente
uma
vez

outubro
no teto passos pássaros
gotas de chuva

viver é superdifícil
o mais fundo
está sempre na superfície

Trevas.
Que mais pode ler
um poeta que se preza?

•. .

lá vão elas
um dia, as pirâmides do egito
ainda vão chegar até as estrelas

:.

no centro
o encontro
entre meu silêncio
e o estrondo

. .•

depois de muito meditar
resolvi editar
tudo o que o coração
me ditar

•

parte de AM/OR

investígio

olfato ou fato
um cheiro falso
a brisa traz

um brilho antigo
brinca comigo
de anos atrás

1988
(*na passagem da constelação alice*)

a uma carta pluma
só se responde
com alguma resposta nenhuma
algo assim como se a onda
não acabasse em espuma
assim algo como se amar
fosse mais do que bruma

uma coisa assim complexa
como se um dia de chuva
fosse uma sombrinha aberta
como se, ai, como se,
de quantos como se
se faz essa história
que se chama eu e você

1988

campo de sucatas

saudade do futuro que não houve
aquele que ia ser nobre e pobre
como é que tudo aquilo pôde
virar esse presente poder
e esse desespero em lata?

pôde sim pôde como pode
tudo aquilo que a gente sempre deixou poder
tanta surpresa pressentida
morrer presa na garganta ferida
raciocínio que acabou em reza
festa que hoje a gente enterra

pode sim pode sempre como toda coisa nossa
que a gente apenas deixa poder que possa

1987

1987, tende piedade de nós

anos ímpares
são anos vítimas
anos sedentos
de sangue e vingança
todo gozo será punido
e o deserto será nossa herança

anos ímpares
são sarampo ínguas catapora
bocas que praticam
tacos e cacos de línguas
lixos onde mora a memória

muda a regra, muda o mapa,
muda toda a trajetória
num ano ímpar,
só não muda a nossa história

1987

•

jardim da minha amiga
todo mundo feliz
até a formiga

1978

•

ah se pelo menos
eu te amasse menos
tudo era mais fácil
os dias mais amenos
folhas de dentro da alface

mas não
tinha que ser entre nós
esse fogo
esse ferro
essa pedreira
extremos
chamando extremos na distância

1976

Amar você é coisa de minutos
A morte é menos que teu beijo
Tão bom ser teu que sou
Eu a teus pés derramado
Pouco resta do que fui
De ti depende ser bom ou ruim
Serei o que achares conveniente
Serei para ti mais que um cão
Uma sombra que te aquece
Um deus que não esquece
Um servo que não diz não
Morto teu pai serei teu irmão
Direi os versos que quiseres
Esquecerei todas as mulheres
Serei tanto e tudo e todos
Vais ter nojo de eu ser isso
E estarei a teu serviço
Enquanto durar meu corpo
Enquanto me correr nas veias
O rio vermelho que se inflama
Ao ver teu rosto feito tocha
Serei teu rei teu pão tua coisa tua rocha
Sim, eu estarei aqui

1968

1.
Animais zelam pela abóbada,
constelações são signos.
Não há sombra de estrelas,
os cometas — solenes,
a lua — enigma.
Corpos celestes — em contato,
dura luz de sua alta hierarquia.

2.
— As estrelas estão indóceis,
hoje, Senhor,
o céu se fecha. Vozes dos patronos
estão baixas.
Ninguém forçará o Zodíaco.
Marte cobriu-se de escudos.
A lua está muito suja,
deves crer em tudo,
estrelas murmuram.
Rebelde está Mercúrio,
nada sei de Saturno.

Minha arte, por hoje, cala-se
Cale-se tu, Senhor, a vida rola
em volta do vosso punho.
Eu testemunho.

1974

winterverno

[2001]

nota do editor

Winterverno foi publicado em 2001 pela editora Iluminuras, na forma de um "álbum" em que dialogavam poemas de Paulo Leminski e desenhos de João Suplicy. Optamos por manter somente os poemas, sem imagens, e apenas os que ainda não haviam aparecido em livros anteriores do autor.

W (VENTO) (WE)

INTER (INVENTO)

(INTERVIEW)

VIM TE VER

(INTERNO)

(TER) **NO** (NOITE)

(TERNO) **INVERNO** (NERVO)

(NEVER) (INVERTER) (NEVER MORE)

liberdade
vento
onde tudo
cabe

milagre
a lágrima
para

pronto
aqui está
o meu ponto

entre pedra e pedra
não vai ficar
pedra sobre pedra

lá embaixo
vai ter
o que eu acho

lá vamos nós
lendo sempre
a mesma voz

a hora do tigre

um tigre
quando se entigra
não é flor
que se cheire
não é tigre
que se queira

ser tigre
dura a vida
inteira

mês s/ fim
vem de fora
ou de dentro
esse cheiro
de jasmim?

Tudo me foi dado.
Nada me foi tirado.
O que um dia foi meu
nunca vai ser passado

passos na areia úmida
das aldeias — a última
até as putas são tímidas

ÉEÉ

Dura o diamante
dentro da pedra pura.
De agora em diante,
só o durante dura.

ave vento
cheio de graça
ave
tudo o que passa

bar das putas
os dias são poucos
as noites são muitas

. .

vou?
onde?
perguntem
ao bonde

. . .

aqui
faço
o que todo mundo
faz
o que faço
tanto faz

. . . .

luz na noite
o escuro
foi-se

●

em cima
da hora
tudo
piora

•

Nada fica
a não ser o que for bonito
A ideia fixa
é meu esporte favorito

• •

meu desejo
quanto mais olho
menos vejo

•

na mesa, súbita,
o cacho de uva
escuta os passos da chuva

• . .

sabe da última?
a chuva lavou
a minha culpa

fumaça qualquer
a matéria faz
o que a matéria
quer

. .

o milho está certo
próxima vez
a chuva
cai
mais perto

. .

desperto
daqui ali
parece tão perto

. .

meu problema
só dói
quando queima

. .

falso vento
não exista
te invento

lá dentro
o que é que tem
que aqui fora
não tem ninguém?

delícia pura
a onda cai
como uma fruta madura

Antes que a tarde amanheça
e a noite vire dia
põe poesia no café
e café na poesia

o carnaval passa
guardada na mala
a tua meia máscara

poemas esparsos

nota do editor

Ao recuperarmos, para esta edição, os volumes *Polonaises* e *Não fosse isso e era menos não fosse tanto e era quase*, notamos que nem todos os poemas constavam de *Caprichos & relaxos.* Os poemas faltantes, que nunca apareceram nas obras posteriores de Leminski, entram aqui. São textos praticamente inéditos, que até hoje ficaram reservados a essas edições independentes, de tiragens baixas e há muito fora de circulação. Os quatro primeiros são de *Polonaises*. Os seguintes, de *Não fosse isso e era menos não fosse tanto e era quase*.

vão é tudo
que não for prazer
repartido prazer
entre parceiros

vãs
todas as coisas que vão

enchantagem

de tanto não fazer nada
acabo de ser culpado de tudo

esperanças, cheguei
tarde demais como uma lágrima

de tanto fazer tudo
                                        parecer perfeito
você pode ficar louco
ou para todos os efeitos
suspeito
de ser verbo sem sujeito

pense um pouco
beba bastante
depois me conte direito

que aconteça o contrário
custe o que custar
deseja
quem quer que seja
tem calendário de tristezas
celebrar

tanto evitar o inevitável
in vino veritas
me parece
verdade

o pau na vida
o vinagre
vinho suave

pense e te pareça
senão eu te invento por toda eternidade

tão
alta
a
torre

até
seu
tombo
virou
lenda

•. .

deus

algum

indu

ogum

vishnu

precisa

da tua prece

tua pressa

pessoa

só teu pulso

acelera

você padece

padecer

te resta

tudo

um belo dia

desaparece

líng

uá Kuá

ze Shin

e

za

essa Líng (uá) Ming

ua

Xing

a

maldito
o que não deixa cantar
o canto é fraco

maldito
o que não deixa cantar
o canto é forte

maldito
o que não deixa cantar
o canto gera outro cantar

maldito
o que não deixa cantar
o canto nunca deixa de cantar

eu vi o sol ao quadrado
o sol de olho saltado
multiplicado pelo sol

acenda a lâmpada às seis horas da tarde
acenda a luz dos lampiões
inflame
        a chama dos salões
        fogos de línguas de dragões
        vaga-lumes

numa nuvem de poeira de neon
tudo é claro
              tudo é claro
              a noite assim que é bom

a luz acesa na janela lá de casa
o fogo
       o foco lá no beco
                              e o farol

esta noite vai ter sol

o
soo
u
oou
o
sin
o
sou
o
sig
n
gno
n
nim
o

undergroundblitzkrieg

o close-up do souvenir
o ersatz do harakiri
o marketing de pindorama

à moda mao

o pinheiro
cresceu
ao lado da árvore
de flor amarela

ele
eu
você
ela

quem passa
pensa
flores
dele
não
dela

aquário de água limpa
olavo limpa
                    olavo lava
aquário de água clara
olavo aclara
                    olavo eleva
na água do aquário
olavo é adão
                    olavo é eva
na água do aquário
o peixe pisca
                    olavo paga
na água do aquário
olavo risca
                    o tempo apaga
sombras no pomar
                    cores no cocar
susto no lugar
                    do aquário para o mar

empate

manes de vates
penas, penates
casas de orates
por que te debates?
magnos carlos
mármores marcos
vênus em martes
nem xeque nem mate

no campo
em casa
no palácio
está nas últimas
a última flor do lácio

cretino
beócio
palhaço
dê o último adeus
à última flor do lácio

a fogo
a laço
ninguém segura
a queda da última flor do lácio

tai-otoshi para a kodokan

passos lentos
escrevem
VONTADE DE CHEGAR

precisa andar
como quem já chegou

chega de chegar

depressa
é muito devagar

sigo picadas com **pegadas** cuidado picadas mal **pegadas** consigo picadas

per **pegadas** sigo picadas sem **pegadas** pro picadas paro **pegadas**

sem picadas ser **pegadas** sentido picadas como **pegadas** quero picadas

pegadas picadas **pegadas** picadas **pegadas**

BR
RA
AD
DO
OO

DO
OB
BR
RA
AD
DO
OQ
QU
UE
EB
BR
RA
AN
ND
DO
OQ
QU
UE
EB
BR
RA
AS
SÓ
ÓS
SO
OM
MD
DO
OB
BR
RA
AD
DO
OS
SO
OB
BR
RA
A

nota sobre leminski cancionista

José Miguel Wisnik

Respondendo à inevitável pergunta sobre o "fim da canção", Luiz Tatit afirmou, com humor, que não só a canção não terminará nunca como, no Brasil, quase todo mundo já experimentou compor uma, nem que seja uma vez. Não seria Paulo Leminski, experimentador de todos os venenos-remédios da poesia, que iria deixar de provar do sabor e do saber da *gaia ciência*. Ainda mais que, descolado dos protocolos da literatura convencional, definiu-se muitas vezes através de um jogo de rótulos contrários, como "punk parnasiano", "dadaísta clássico", autor de *Caprichos & relaxos* (que supõem, quando juntos, a aliança da concentração com a descontração), sob o slogan paródico-utópico do *Distraídos venceremos*.

Não é fácil definir esse lugar, entre a erudição e o chamado *desbunde*, entre a disposição da informalidade existencial, no marco da contracultura dos anos de 1970, e as exigências da construção formal, que parecem polares e insolúveis. Leyla Perrone-Moisés definiu, no entanto, de modo preciso, a sua dicção poética como sendo capaz de cortar esse nó com a lâmina afiada de *samurai-malandro*, o sacador-fazedor que estiliza a instantaneidade tendo como background um largo repertório acumulado [ver p. 397]. O curitibano Leminski escancara a condição provinciana, que toma estrategicamente como congênita, sem perder de vista a poesia universal da qual é íntimo, e, ao fazê-lo, comenta a crise da poesia ao mesmo tempo que cria para si um centro decidido e esquivo, todo feito de meias-palavras inteiras.

De fato, a ambição artística do "paroquiano cósmico" assume astuciosa e sabiamente, como sua, a oscilação irônica entre a grandeza e a desimportância, entre o menor e o enorme, a pretensão e o desconfiômetro, e adere a ela no interior da própria obra. Esse traço de estilo está estampado, por exemplo, na capa da volumosa obra inaugural em prosa, onde o fluxo do "enxame de consciência", de que é tomado Descartes no trópico, ostenta o nome de *Catatau*, aplicável tanto a um livro grande como a uma espada pequena, a um calhamaço como a um homem baixinho.

Não por acaso Paulo Leminski colocou-se, em boa parte por provocação, no alvo das pendengas sobre o discutido valor literário da poesia contemporânea brasileira, de difícil canonização, como se ele fosse, dela, ao mesmo tempo o arqueiro zen e o calcanhar de Aquiles. Mas aquele que declarou, por ocasião da morte de Drummond, "o trono está vago" foi talvez quem melhor percebeu que, a partir de então, a poesia se fazia em torno do vazio do trono, de qualquer trono, e que toda a questão se concentrava em saber errar o alvo — como o arqueiro zen — com a máxima precisão. A consciência desse fato, motor interno da sua atividade literária, já o coloca, por si só, para além da gangorra entre seus afetos e desafetos.

Numa avaliação rasante, de valor sintomático de época, Bruno Tolentino denunciava pela imprensa, a certa altura, a dominância, na literatura brasileira, de um embuste publicitário, caudatário da atitude deslumbrada e superficial dos tocadores de "berimbau de barbante", que seguiam a rota supostamente furada do modernismo paulista, da poesia concreta, da poesia marginal e da música popular. Embora genérico, o arco do diagnóstico conservador servia, melhor do que a ninguém, a Paulo Leminski, que tem o mérito de abarcá-lo como um todo. A sua dicção singular, o seu perspectivismo múltiplo, miram os pontos de fuga do modernismo oswaldiano, da consciência experimental da linguagem bebida na poesia concreta, do coloquialismo avisado da poesia marginal e do poder poético da canção. Mas, para entendê-lo, seria preciso antes de mais nada inverter o sinal depreciativo atribuído a "berimbau de barbante", porque, na poética leminskiana, como vimos, o grande e o pequeno, o insight e o derrisório, confinam-se intimamente como aspectos da mesma matéria, seu arco e sua lira. Nela, o "berimbau de barbante" toca música.

Esse é o momento oportuno para introduzir a questão da música popular. Não há dúvida de que Paulo Leminski viveu intensamente a tentação da canção. O autor do *Catatau*, esse desconcertante moto perpétuo de jingles joyceanos, de hits em alta velocidade, de uma temperatura informacional inapreensível pelo grande público, sonhava também com a cadência espraiada do refrão em massa, do reconhecimento horizontal do sucesso, não fosse ele um catalisador de polaridades. Suas canções em parceria, mas principalmente aquelas de que fez letra e música, apontam na direção desse projeto, que, se não se realizou plenamente com ele, encontra oportunamente na obra de Arnaldo Antunes a sua perfeita tradução, isto é, a correspondente aliança da poesia do livro — marginal e de vanguarda, informal e formalista — com a linguagem da canção pop.

Há quem faça canções com acurado conhecimento de causa musical, nas quais o trato de melodias requintadas e de harmonias complexas, de acordes alterados e de modulações imprevistas, concilia-se com o gosto popular, como soube fazer Tom Jobim, “maestro soberano”, seguido nisso pelo próprio Chico Buarque. Há outros que trabalham só com um violão do qual não dominam mais do que dois ou três acordes, limitando-se aos movimentos de tônica e dominante, variações singelas entre os modos maior e menor, e levadas rítmicas já provadas e comprovadas. No entanto, como a canção popular é o campo fértil para as relações improváveis entre o mais sofisticado e o mais elementar, revertendo muitas vezes um ao outro, alimentando-se dos poderes e da eficácia deste último e revelando-lhe as riquezas, soluções muito simples dispõem às vezes de um frescor e de uma força criativa genuína.

É o lugar por excelência de “Verdura”, canção gravada por Caetano Veloso no disco *Outras palavras*, e que fez certa fama:

de repente
me lembro do verde
da cor verde
a mais verde que existe
a cor mais alegre
a cor mais triste
o verde que vestes
o verde que vestiste
o dia em que eu te vi
o dia em que me viste

de repente
vendi meus filhos
a uma família americana
eles têm carro
eles têm grana
eles têm casa

a grama é bacana
só assim eles podem voltar
e pegar um sol em copacabana

A música é feita aqui, pode-se dizer, de dois jatos entoativos, que acompanham intuitivamente o gesto poético da surpresa dada pelos dois *repentes*. No primeiro movimento o *repente* é o efeito brusco de uma aparição, marcada pelo excesso colorístico que salta à vista como revelação do outro, proliferando no fluxo fácil de rimas e aliterações, concluído por uma resolução suspensa ("o dia em que eu te vi/ o dia em que me viste"). No segundo movimento o *repente* é a realidade que se abate como rendição obrigada ao valor mais alto da economia do império norte-americano, onde a "grama bacana" é o único vestígio do festival de verdes da primeira parte, e do qual a saída é a volta por cima que devolve a prole a Copacabana. Não há nexo causal e linear entre as duas partes. Que ele fique frouxo, aberto, é uma das forças originais dessa mininarrativa. Temos, na verdade, duas situações mais virtuais do que realistas, glosando o privilégio da riqueza das sensações, de um lado, e as agruras da pobreza e da dependência, de outro.

"Luzes", também música e letra de Paulo Leminski, foi gravada por Suzana Salles e depois por Arnaldo Antunes, este em vigorosa versão country. A música combina um gesto melódico ascendente e luminoso ("acenda a lâmpada"), o intervalo de quinta maior, reiterado durante toda a canção, com a luz rebaixada do modo menor, como se nesse contraste ressoasse o jogo entre as luzes decididamente acesas, por um ato iluminador da vontade, e a noite afinal incendiada ("essa noite vai ter sol"):

acenda a lâmpada às seis horas da tarde
acenda a luz dos lampiões
inflame
        a chama dos salões
        fogos de línguas de dragões
        vaga-lumes

numa nuvem de poeira de neon
tudo é claro
            tudo é claro
            à noite assim que é bom

a luz acesa na janela lá de casa
o fogo
      o foco lá no beco
                        e o farol

esta noite vai ter sol

(Um pequeno depoimento: essa canção inédita foi descoberta quando Zé Celso Martinez Correa, apresentando *As boas*, de Jean Genet, em Curitiba, quis algo de Leminski para abrir o espetáculo, e Alice Ruiz a lembrou ao telefone, *a capella*. Eu fazia a música do espetáculo, deduzi a harmonia, e assim a canção chegou, de recado em recado, a Suzana e a Arnaldo.)

Em suma, Paulo Leminski mostra, nas canções que fez, embora não sejam muitas, aquela intuição do núcleo entoativo da palavra cantada que faz, segundo Luiz Tatit, a eficácia da canção. Como na simplesmente deliciosa "Filho de Santa Maria":

Hoje eu saí lá fora
Como se tudo já tivesse havido
Já tivesse havido a guerra
A festa
Já tivesse havido
E eu, e eu, e eu
Fosse puro espírito
Aqui tô eu pra te proteger
Dos perigos da noite, do dia
Sou fogo, sou terra, sou água, sou gente
Eu também sou filho de Santa Maria
Se dona Maria soubesse
Que o filho pecava e pecava tão lindo
Pegava o pecado e jogava de lado
E fazia da Terra uma estrela
Sorrindo

Para finalizar: tenho a honra de ter musicado o antecipador poema-fragmento de Adam Mickiewicz, o vate polonês contemporâneo de Chopin, traduzido por Leminski e publicado em *Polonaises*, que ele me deu assinalado no livro com um círculo, num gesto de cumplicidade entre polacos brasileiros [ver p. 65].

E a letra que ele me enviou sem chegar a ouvir a música, também por telefone:

Subir
No raio de uma estrela
Subir até
Sumir
Subir até sumir
No brilho puro
Subir mais

Subir além
Além de toda a treva
De toda a dor
Além de toda a treva
De toda a dor
Deste mundo

apêndice

paulo leminski*

Haroldo de Campos

Foi em 1963, na Semana Nacional de Poesia de Vanguarda, em Belo Horizonte, que o Paulo Leminski nos apareceu, dezoito ou dezenove anos, Rimbaud curitibano com físico de judoca, escandindo versos homéricos, como se fosse um discípulo zen de Bashô, o Senhor Bananeira, recém--egresso do Templo Neopitagórico do simbolista filelênico Dario Veloso.

Noigandres, com faro poundiano, o acolheu na plataforma de lançamento de *Invenção*, lampiro-mais-que-vampiro de Curitiba, faiscante de poesia e de vida. Aí começou tudo. Caipira cabotino (como diz afetuosamente o Julinho Bressane) ou polilingue paroquiano cósmico, como eu preferiria sintetizar numa fórmula ideogrâmica de contrastes, esse caboclo polaco-paranaense soube, muito precocemente, deglutir o pau-brasil oswaldiano e educar-se na pedra filosofal da poesia concreta (até hoje no caminho da poesia brasileira), pedra de fundação e de toque, magneto de poetas-poetas.

Das primeiras invencionices ao *Catatau*, da poesia destabocada e lírica (mas sempre construída, sabida, de *fabbro*, de fazedor) ao verso verde-verdura da canção trovadores-

* Texto publicado na primeira edição de *Caprichos & relaxos* (São Paulo: Brasiliense, 1983).

co-popular, o Leminski vem chovendo no endomingado piquenique sobre a erva em que se converteu a neoacadêmica poesia brasileira de hoje, dividida entre institucionalizadas marginalidades plácidas e escoteiros orfeônicos, de medalhinha e braçadeira. E é bom que chova mesmo, com pedra e pau a pique. Evoé Leminski!

São Paulo, junho de 1983

caprichos & relaxos*

Caetano Veloso

Este livro de poemas é uma maravilha, porque os poemas do Leminski são muito sintéticos, muito concisos, muito rápidos, muito inspirados. Ele é um sujeito gozado. É um personagem muito único, no panorama da curtição de literatura no Brasil. Eu acho um barato. Leminski tem um clima/mistura de concretismo com *beatnik*. Que é muito legal. "Verdura" é um sonho. É genial. É um haikai da formação cultural brasileira. Deve ser instigante para os poetas do Brasil o aparecimento desses novos poetas todos. Leminski é um dos mais incríveis que apareceram.

* Texto publicado na quarta capa da primeira edição de *Caprichos & relaxos* (São Paulo: Brasiliense, 1983).

leminski, o samurai malandro*

Leyla Perrone-Moisés

Olhe nos olhos dos poemas de Paulo Leminski (*Caprichos & relaxos*, São Paulo: Brasiliense, 1983) e você verá que ele está por dentro, no centro. Tudo o que não interessa cai fora, sem demora. O olho do furacão é imóvel porque ele administra as fúrias gratuitas do movimento.

Do rio de palavras, Leminski se ri, e à verborragia desatada ele pede, exigente, um momento de silêncio. Para bom entende-dor, meia palavra raspa; e para bom gozador, uma piscada basta. Leminski já foi e já voltou, e quem não percebe a inteireza de suas meias palavras ainda nem saiu de casa.

A forma breve não é um valor em si; o breve pode ser apenas pouco. Ter ouvido a lição da poesia concreta também não é garantia de concretizar poesia. Quando o jogo de palavras é só graçola, não cola. Mas Leminski não "bate palmas para as performances do acaso", nem tem "o vício de achar tudo ótimo". Simplesmente não deixa por mais quando pode acertar no menos, e nunca se contenta com o mais ou menos. Contrariamente à maior parte da literatura brasileira atual, prosa ou poesia, que vive no complacente regime do mais ou menos, achando que qualquer obra escancarada é aberta, e que basta chutar para acertar.

* "Leminski, o samurai malandro" — *Cultura, O Estado de S. Paulo*, 27/11/1983; "Leminski, tal que em si mesmo" — *Revista USP*, São Paulo, 1989; In: *Inútil poesia e outros ensaios breves* (São Paulo: Companhia das Letras, 2000), pp. 234-40.

Samurai e malandro, Leminski ganha a aposta do poema, ora por um golpe de lâmina, ora por um jogo de cintura. Tão rápido que nos pega de surpresa; quando menos se espera, o poema já está ali. E então o golpe ou a ginga que o produziu parece tão simples que é quase um desaforo:

acordei bemol
tudo estava sustenido

sol fazia
só não fazia sentido

Diante de acertos como esse, por favor, sejamos sóbrios. Nada de demonstrar-desmontar com apoio em bibliografia especializada, pois qualquer metagesticulação crítica ficaria ridícula, contraposta ao gesto exato do poeta.

Leminski é samurai em seus caprichos e malandro em seus relaxos. Mas entre caprichado e caprichoso, entre relaxamento e relaxo, "entre a pressa e a preguiça", há comunicações e passagens.

Samurai:

nuvens brancas
passam
                    em brancas nuvens

Malandro:

não discuto
com o destino

o que pintar
eu assino

Samurai-malandro:

a palmeira estremece
palmas para ela
que ela merece

Formalista, como todo artista, Leminski não é porém um poeta de gabinete. Suas vivências de *beatnik* caboclo e sua filosofia de malandro zen são depuradas no cadinho da linguagem até chegar à cifra certa. Amor, amizade, inquietação, raiva, estão na raiz de sua poesia, mas esses sentimentos libertam-se do anedotário pessoal para encontrar a forma justa, que encanta e ensina:

um pouco de mao
em todo poema que ensina

quanto menor
mais do tamanho da china

Informada e enformada pelo zen, esta poesia é busca do caminho e entrega de uma despretensiosa sabedoria:

soubesse que era assim
não tinha nascido
e nunca teria sabido

ninguém nasce sabendo
até que eu sou meio esquecido
mas disso eu sempre me lembro

Malandro da linguagem, Leminski não é apenas um intuitivo, um criativo, um sacador, como os 130 milhões que se dispensam de conhecer seus ofícios. Como observa Haroldo de Campos, sua poesia é "sempre construída, sabida, de *fabbro*, de fazedor". Esse autointitulado "cachorro louco" queimou pestana na poesia universal. Sabe onde está pisando e com quem, queira ou não queira, o poeta de hoje tem de se confrontar. Diante dos faixas pretas da linguagem, Leminski não descuida do preparo físico.

E passa, honestamente, por todos os estágios do confronto. Confessa que sonhou ser Homero, que se imaginou Rimbaud ou Pessoa, que desejou ser um grande poeta inglês do século passado, e que acabou "um pequeno poeta de província". E é exatamente aí que ele ganha a parada. A viagem pelos grandes textos, num primeiro tempo, reduz o poeta provinciano a sua "insignificância"; mas, abrindo o seu desconfiômetro, permite-lhe safar-se da repetição involuntária ou degradada. Ele sabe que espaços de linguagem já estão ocupados, e onde se abre lugar para sua fala. Ao assumir seu provincianismo, o poeta deixa de ser provinciano, porque provinciano é justamente aquele que nem desconfia. Tendo dado essa volta para "além das serras que azulam no horizonte", o poeta não corre mais o risco de versejar caipiramente "a aurora de sua vida".

Internacional e provinciano, Leminski é brasileiríssimo. Mestiço, antropófago, poetiza, sem folclore, Oxalá e o frevo, pajés e xavantes. Parisa, novaiorquiza, moscoviteia, sem tirar o pé do chão. Torce pelo time de várzea, mas não cai no conto do nacional e popular:

eu queria tanto
ser um poeta maldito
a massa sofrendo
enquanto eu profundo medito

eu queria tanto
ser um poeta social
rosto queimado
pelo hálito das multidões

em vez
olha eu aqui
pondo sal
nesta sopa rala
que mal vai dar para dois

Geografia e história habitam o corpo de sua poesia, sem enrijecê-lo em militância. Irônico, ele diz que "CHUTES DE POETA/ NÃO LEVAM PERIGO À META". E aí também o menos é mais e o quase é tanto. Porque conhecer o alcance de uma práxis é condição mínima para sua eficiência, e saber os limites de um campo permite ilimitar a ação nesse campo. Chute de poeta leva, sim, perigo à meta: quando é lateral e com efeito. Na verdade, Leminski acredita muito em sua arma, a poesia, e a afia:

en la lucha de clases
todas las armas son buenas
piedras
noches
poemas

Sem demagogia, com amor e humor, talento e lucidez, Leminski vai abrindo caminhos na selva selvagem da linguagem, no repertório caótico de nossas cabeças cortadas. Destila tudo com sabedoria, e suas gotas de poesia são colírio para nossos olhos poluídos.

À guisa de conclusão:

LEMINSKI, TAL QUE EM SI MESMO

Sobre seu próprio desaparecimento, Mark Twain escreveu, de antemão, a seguinte manchete de jornal: "As notícias de minha morte são muito exageradas". É o que sinto com relação ao desaparecimento de Leminski. A morte de tanta vitalidade deve ser mentira.

Leminski pingou um poema em nosso olho e passou. Passou rápido, porque ele morava no olho do furacão. A vida era intensa, mas a poesia era paciente trabalho de linguagem. Leminski não caía no logro da expressividade ou da inspiração. Ostentando as insígnias da contracultura, ele era um poeta culto, que conhecia seu ofício e o levava a sério, num gabinete cheio de vida e de desordem.

A forma breve, por ele cultivada, oferece grandes riscos. O breve pode ser apenas pouco, o menos obtido por subtração. O grande poema breve é concentração sem perda, o máximo no mínimo. Leminski conhecia essa arte e colhia o poema com o golpe certeiro da espada zen.

Como outros poetas de nosso século, ele encontrou no haikai o humor e a imagem, a economia verbal e a objetividade, qualidades que, segundo Octavio Paz, são também os elementos centrais da poesia moderna.

Leminski era transcultural: polonês, caboclo e "japonês", malandro e samurai, provinciano e internacional.

Jogava na várzea e falava latim. Eclético e autodidata, era o mais brasileiro dos poetas, talvez o discípulo mais fiel deixado por Oswald de Andrade: "a palmeira estremece/ palmas para ela/ que ela merece".

Leminski era intratável. Amor e raiva em fúrias equivalentes, uma força que podia dar em abraço ou em murro. O que garante a sua poesia aquele calor dentro do rigor, palavras habitadas por um corpo. Desconfiava da crítica e da universidade; quando me chamava de professora, não era um elogio.

Não fazia média com ninguém, nem com ele mesmo. "Na vida ninguém paga meia"; na poesia também não. Leminski pagou e recebeu inteira. A multiplicidade de tarefas, de línguas, de gêneros, de veículos em que ele circulava deixa, paradoxalmente, a lembrança de uma inteireza: a integridade de uma vocação de poeta que ele, obstinadamente, cumpriu.

transmatéria contrassenso*

Paulo Leminski

Nas unidades de *Distraídos venceremos* (1983-1987), resultado do impacto da poesia de *Caprichos & relaxos* (1983) sobre a fina e grossa cútis da minha sensibilidade lírica, *calmes blocs ici-bas chus d'un désastre obscur*, cadeias de Markoff em direção a uma frase absoluta, arrisco crer ter atingido um horizonte longamente almejado: a abolição (não da realidade, evidentemente) da referência, através da rarefação.

Seria demais, certamente, supor que eu não precise mais da realidade.

Seria de menos, todavia, suspeitar sequer que a realidade, essa velha senhora, possa ser a verdadeira mãe destes dizeres tão calares.

É quando a vida vase.
É quando como quase.
Ou não, quem sabe.

Curitiba, janeiro de 1987

* Texto introdutório à primeira edição de *Distraídos venceremos* (São Paulo: Brasiliense, 1987).

la vie en close*

Alice Ruiz S

O livro que se abre, o poema que se lê, pela primeira vez, tem o sabor às vezes de livro que se fecha, de vida que se encerra. Pode ser esse o caso de *La vie en close*. Mas só para aqueles que veem na morte o ponto final.

O poeta que aqui se lê, a exemplo dos faraós, construiu uma obra capaz de continuar falando, por si só, como as pirâmides, e transcender mesmo no deserto a aridez da mesmice da nossa finitude. E essa vida que se mostra, se despe e se despede nos deixa com gosto de mais vida e muito, muito mais poesia, de um jeito tal que, tenho certeza, ainda vai haver poesia um dia.

Em setembro de 1988 espalhamos a maior parte destes poemas no chão da sala de um apartamento em São Paulo e, pela última vez, selecionamos juntos os poemas de um livro. Poucos estão aqui que tenham sido feitos depois. E mesmo esses ele me disse, ou ao vivo ou pelo telefone, na medida em que iam sendo feitos.

O rigor naquela tarde foi o mesmo que nos prometemos, com o qual nos comprometemos, durante toda a vida juntos, na seleção dos seus livros e dos meus também. Mas, mesmo assim, lembrei de uma outra tarde em 1986

* Texto publicado nas orelhas da primeira edição de *La vie en close* (São Paulo: Brasiliense, 1991).

ou 1987 quando selecionamos os poemas de *Distraídos venceremos*.

Como não lembrar? Metade destes poemas já estava lá. Só não foram publicados antes por não serem portadores daquela dicção "parnasiano chic", como ele dizia, e que era fundamental para a unidade do livro. Mas o acaso acaba trabalhando melhor do que nós mesmos e desenhou uma outra unidade, ainda mais densa, juntando os poemas que se preparavam para fazer companhia aos poemas que nasceram mais tarde, de 1987 até sua morte. E, entre eles, um que é particularmente especial para mim, esse "esplêndido corcel" que me deslumbrou em 1968 e aqui está, enfim, depois de tanta insistência minha. Um poema tão antigo, ao lado de outros de 1977, 1978, 1979, ao lado de outros tão recentes, que se concentram tanto e se aprofundam tanto porque se sabem últimos.

Esses poemas, mais que quaisquer outros, estão cheios de noites e madrugadas adentro. Cheios de uma dor tão elegante que é capaz de nos fazer rir, apesar de tudo. Cheios de dias na vida de uma luz. São poemas de vitalidade, apesar do adeus. Saltam da página para o entendimento, como ele fazia, quando analisava que "agir é a sabedoria suprema", andando como quem pensa, pensando como quem anda, sempre pensando e andando. E, principalmente, sempre doando esse agir e pensar.

Esse desejo de continuidade na semelhança está explícito em muitos poemas, aqui tratados como a filhos que levam juntos nossos traços. Esse desejo está ainda explícito no seu poema-oração, que mesmo não encerrando o livro é o último dessa vida que, agora, se amplia e se inicia.

são não

não são
são não
rogai por nós
para que não
sejamos senão

uma poesia ex-estranha*

Alice Ruiz S

O ex-estranho é uma seleção entre os últimos inéditos de Paulo.

Veio junto com *La vie en close*, mas num envelope à parte.

Dentro dele, cópias ou versões de poemas já publicados, outros visivelmente inacabados e outros prontos.

Entendi esse envelope à parte como um outro volume que estava sendo preparado, deixado para pensar mais tarde. E assim o fiz.

Com a proposta da Fundação Cultural, para publicar poemas inéditos, este envelope último voltou à tona, decidindo que o seu tempo de acontecer tinha chegado.

A expressão "ex-estranho" aparece dentro do poema "Ópera fantasma" no *La vie en close.*

Nada tenho.
Nada me pode ser tirado.
Eu sou o ex-estranho,
o que veio sem ser chamado
e, gato, se foi
sem fazer nenhum ruído.

* Texto introdutório à primeira edição de *O ex-estranho* (São Paulo: Iluminuras, 1996).

"Ex-estranho" é o título de outro poema, também publicado em *La vie en close.*

O ex-estranho

passageiro solitário
o coração como alvo,
sempre o mesmo, ora vário,
aponta a seta, sagitário,
para o centro da galáxia

Ambos estavam no envelope, logo depois do pequeno pré-prefácio, feito pelo Paulo, como uma pista de um título possível para este estranho livro ex.

Entre as cento e poucas páginas fomos, eu e Áurea, fazendo nossa seleção separadamente e depois as comparamos discutindo os porquês das poucas escolhas ou exclusões que não coincidiam.

Nesses momentos, contamos também com a opinião da nossa poeta Estrela. Lá estávamos, as três, como tantas vezes, reunidas em torno da palavra. E agora, como antigamente, tinha também a palavra do Paulo. E sua ausência.

E a necessidade de rigor mandando a saudade ficar quieta para o coração poder pensar. Para nos apoiar como guia, o poema "depois de muito meditar" nos dizia: relaxe, é só seguir o coração, ele faz a escolha.

Chegamos a quarenta e poucos poemas. Podia ter mais. E tinha.

Todos os poemas que fizemos, um para o outro, guardávamos em uma pasta com o título de AM/OR. Vários já foram publicados, outros provavelmente não serão, por serem excessivamente pessoais, mas, entre eles, encontramos alguns que, por sua qualidade, tinham que estar presentes neste último livro de poemas.

São o anexo final com o título "Parte de AM/OR". Vão de 1968 a 1988.

Os poemas inéditos publicáveis acabam aqui.

Ainda falta trabalhar na prosa deixada, contos, ensaios, uma novela.

Tudo a seu tempo. O tempo agora é de poesia.

Uma poesia que registra sua paixão pela palavra, como em "Invernáculo", seu compromisso com a religiosidade como em, entre outros, "Amar: armas debaixo do altar", poesia como um ato de fé em "Sacro lavoro" e outras tantas despedidas de coisas e pessoas que ele amou.

Não há o que dizer sobre esta poesia que ela mesma já não diga, nem estou aqui para falar dela. Minha função é reuni-la com o respeito pela qualidade que o Paulo sempre exigiu e defendeu, sem permitir que treinos e exercícios venham a público, como muito já se viu acontecer depois que um artista se vai.

Aqui fica este poeta que se foi. Estranho e estrangeiro na experiência vida. Mas porque é ex-estranho, quem sabe, agora, totalmente em casa. Curado da tarefa de viver, esse, para quem "viver não tem cura".

o ex-estranho*

Wilson Bueno

Esta é provavelmente a última reunião de poemas inéditos de Paulo Leminski.

Ainda uma vez, sua maior interlocutora, a poeta Alice Ruiz S, fica com a parte mais difícil — reandar estes caminhos, trilhar pela via da ternura, sem perder o rigor jamais, as fabricações febris deste que é um dos poetas fundamentais de uma geração que nos deu, entre outros, Caetano Veloso e Antonio Risério, João Câmara e Júlio Bressane.

A Alice (e também a Áurea Leminski) devemos a garimpagem que aqui se expõe, o gosto da escolha que não me pareceu nenhuma vez arbitrária. Diálogo mudo este que se estabelece de coração para coração. Mas ainda diálogo pelo que a memória deixa posto em código na trama da vida, para além da morte, de qualquer morte. Impossível, pois, a recusa em reconhecer nesse trabalho aparentemente "menor", a sua inextricável grandeza. Tarefa duríssima, ninguém duvida, responder quantos Leminskis cabem num só Leminski.

E o que floresce nestas páginas é, ainda e sempre, o mesmo Leminski; se bem que um pouco errante, nômade, e outras tantas exilado de si mesmo, no poema como na vida, o Leminski que lemos continua sendo o inventor

* Texto publicado nas orelhas da primeira edição de *O ex-estranho* (São Paulo: Iluminuras, 1996).

afiado dos mais finos uivos dissonantes. O *ex-estranho*. Aquele que se reconhece a cada verso como uma coisa ida, como uma coisa indo. Há aqui, muitas vezes, um *frisson* de vida esfolada vida. Mas tudo é vida, ou "mágua" ao redor de um fado.

Mesmo na lírica amorosa ("Parte de AM/OR"), datada em tempos diversos, o poema se quer à espreita, uma aranha que fiasse todo o segredo da teia sem deixar de exibir, ao final e ao cabo, o triunfo da vigília. A ciência da aranha? Uma artesania de sustos.

O ex-estranho. Em que ilha Paulo Leminski cifra esta estética de arrepios? De signos entrecortados pelo dom da surpresa, animados pelo amor ao súbito, ao lúdico e ao abismo — um sopro invariavelmente novo na sempre melancólica estância seresteira que é, sabemos, o país.

Este, senhores, nem parece um livro póstumo tanto continua viva nele a graça cheia de graça do poeta Paulo Leminski.

índice de primeiros versos

1ª EDIÇÃO [2013] 36 reimpressões

ESTA OBRA FOI COMPOSTA POR ACOMTE EM ARNHEM PRO E
IMPRESSA EM OFSETE PELA LIS GRÁFICA SOBRE PAPEL PÓLEN DA
SUZANO S.A. PARA A EDITORA SCHWARCZ EM MAIO DE 2024